3分間サバイバル

突破せよ！
難問の迷宮

あかね書房

もくじ

01

とじこめられて

危《き》機《き》→逆《ぎゃく》転《てん》？

それは、ぼくらが洞窟《どうくつ》にとじこめられて9日目のことだった。

遠くからうすく光がさしているのに気づくと——ウェットスーツを着こみ、ヘッドライトをつけた人が2人立っていた。

助けが来た！　奇跡《きせき》だ！　希望を失わずにいてよかった！

「みんな、がんばったね！　きみの名前は？」

ぼくは元気よく答えた。

「ぼくはソムチャイ。15歳《さい》です！」

「助けに来てくれてありがとうございます！」

ぼくらは口々《くちぐち》にお礼を言い、仲間同士《どうし》で抱《だ》きあい、喜《よろこ》びの声を上げた。

ああ……家に帰れる！　生きて帰れるんだ！


ぼくら6人が洞窟《どうくつ》にやって来たのは仲間の誕生《たんじょう》パーティーをするためだった。ちょっとしたピクニックのつもりでね。

前もって、雨が降《ふ》る可能性《かのうせい》を考えなきゃいけなかった。タイの雨季をあまく見ちゃいけなかったんだ。

パーティーのとちゅうで大雨が降《ふ》り出すと……ぼくらのいた洞窟《どうくつ》に水が流れこんできた。水かさはどんどん増《ま》して、そのままでいたらおぼれてしまうのはまちがいなかった。

ぼくらは水から逃《のが》れて洞窟《どうくつ》の奥《おく》へ奥《おく》へと歩いた。地下に広がるアリの巣みたいな複雑《ふくざつ》な通路を、無我夢中《むがむちゅう》で進んだ。腹《はら》ばいにならないと通れないほど細い通路に迷《まよ》いこんだときは「ここで水に追いつかれたらおしまいだ！」と思った。

だけど、運よく広い場所にたどりついて――ぼくらは岩山の上に陣取《じんど》った。とりあえず、ここならおぼれる可能性《かのうせい》は低い。

もしかしたら、ここにも水がせまってきて水にのまれるかも。

水が引いたとしても、もといた洞窟《どうくつ》にもどれず迷子《まいご》になるかも。そんなおそろしい想像《そうぞう》がふくらむばかりだったけど。

「きっと助けが来る！」と信じて、励《はげ》ましあって過《す》ごしたんだ。


救出《きゅうしゅつ》に来てくれたサクダさんとカムナンさんは、水中の洞窟《どうくつ》を泳ぐ「ケイブダイビング（洞窟潜水《どうくつせんすい》）」の専門家《せんもんか》なんだって。

「えらかったな、よくこの場所にたどり着けたね。」

サクダさんたちにほめられて、ぼくらは胸《むね》を張《は》る。

2人が持ってきてくれた食べ物で空腹《くうふく》を満たすと、心からホッとした。

しかし、ぼくたちはすぐに脱出《だっしゅつ》できるというわけにはいかなかったんだ。

サクダさんは、ぼくらが今置かれている状況《じょうきょう》についてゆっくり話し始めた。

「問題は、きみたちをどうやってここから地上に連れていくかなんだ。救出部隊《きゅうしゅつ》は、いろいろな作戦を検討《けんとう》した。洞窟内《どうくつない》からポンプで水を吸《す》い出すことも考えたが、地上ではまだ豪雨《ごうう》が続いていて、作業を中断《ちゅうだん》せざるを得《え》なかった。

「つまり、ぼくたちがここから出るには潜水《せんすい》で泳いでいくしかないんですね？」

サクダさんはうなずいた。

「そうだ。でも、この場所から洞窟《どうくつ》の入り口までは約4キロもある。それに水没《すいぼつ》した洞窟《どうくつ》の中を泳ぐのは、ふつうの潜水《せんすい》とはまるでちがう。洞窟《どうくつ》の水中は光がささないから真っ暗だ。ヘッドライトを装着《そうちゃく》していてもそんなに先まで照らすことはできない。うっかりすると、水中ではどっちが上かわからなくなってしまう。」

ぼくらは顔を見合わせた。

「それに、この洞窟《どうくつ》にはすごくせまい場所があったよね。洞窟《どうくつ》のせまい水中では、少しでも足ひれをばたつかせると砂《すな》が舞《ま》って何も見えなくなってしまう。そうなると酸素《さんそ》ボンベの残量チェックもできなくなるからとても危険《きけん》だ。」

「じゃあ、ぼくたち……どうすればいいんですか？」

カムナンさんが、ぼくらみんなの顔を見回して口を開く。

「洞窟内《どうくつない》の水が引くまで待つのが一番安全だという意見も出た。でも、その場合、ここで4か月くらい暮《く》らすことになってしまう。」

4か月も⁉　そんなの耐《た》えられるわけがない！

ぼくたちの絶望的《ぜつぼうてき》な顔を見て、カムナンさんはあわてて言った。

「それはさすがにキツすぎるからね。われわれとしてはできるだけ早くきみたちを地上にもどすつもりでいるよ。とにかく、ぼくは一度地上にもどって、ほかのダイバーといっしょに全員分のウェットスーツや酸素《さんそ》ボンベを運んでくる。」

泳ぎが得意《とくい》なモンクが、おずおずと手をあげた。

「酸素《さんそ》ボンベさえあればどうにかなるんじゃないですか？　サクダさんたちが一人ずつ手を引いて泳いでくれれば。」

しかし、サクダさんはきびしい顔つきになった。

「だがね、せまくて暗い中で泳ぐのは想像《そうぞう》以上に難《むずか》しいんだ。大人の熟練《じゅくれん》のダイバーでも突然《とつぜん》不安におそわれてパニックを起こすことがあるんだよ。あばれて土をまき起こしたり、フェイスマスクをはぎ取ってしまったり。岩にぶつかって致命傷《ちめいしょう》を負う可能性《かのうせい》もある。」

そうか。もし、ぼくがパニックになってあばれて、サクダさんが岩で頭を打って気絶《きぜつ》でもしたらだれも助からないんだ。

絶対《ぜったい》にパニックにならない方法はないのか？

ぼくは9日間を過《す》ごした場所を見回した。この9日間、ずっと不安の中にあって
——安心できるのは眠《ねむ》っているときだけだったっけ……。

それだ！　眠《ねむ》っているときならパニックを起こさないはずだ。

ぼくは思わず立ち上がっていた。

「ひとつだけあります。ぼくたちが脱出《だっしゅつ》できる方法が……！」


主人公はどんな方法を思いついたのだろうか。

解《かい》説《せつ》

主人公が思いついたのは自分たちを「麻酔《ますい》で眠《ねむ》らせて運ぶ」方法だ。少年たちはウェットスーツや酸素《さんそ》ボンベを装備《そうび》した上で麻酔薬《ますいやく》を与《あた》えられ、意識《いしき》を失った状態《じょうたい》でダイバーに「運んで」もらった。そして、みごとに全員、地上に生還《せいかん》することができたのである。

この話は、2018年にタイで起こった洞窟《どうくつ》の遭難事故《そうなんじこ》をモデルにしたものだ。実際《じっさい》のケースでは、大人1人と12人の少年が遭難《そうなん》。「眠《ねむ》らせる」作戦を考え出したのは救出部隊《きゅうしゅつぶたい》である。意識《いしき》を失わせただけでなく、念のため手足が動かないようにしばって固定したそうだ。この方法で13名全員が無事に救出《きゅうしゅつ》された。

洞窟《どうくつ》は神秘的《しんぴてき》で魅力《みりょく》ある場所だ。しかし、このように浸水《しんすい》の危険《きけん》にさらされる可《か》能性《のうせい》があることも覚えておいてほしい。

02

マンガ家殺《さつ》人《じん》事《じ》件《けん》

解《かい》読《どく》↓結果？

ふむ。マンガ家の仕事場ってこんな感じなのか。

背中《せなか》に包丁を突《つ》き立てられ、床《ゆか》に倒《たお》れて絶命《ぜつめい》している被害者《ひがいしゃ》をながめながら、わたしはそんなことを考えていた。おっと、これは野次馬根性《こんじょう》ではなく、現場検証《げんばけんしょう》の一環《いっかん》だ。

横に長い仕事机《しごとづくえ》の上には大きなモニターとタブレット。はしの方にノートやスケッチ、ペンなどがごちゃっと寄《よ》せられているのは、昼食をとるためだったようだ。机《つくえ》の上にはコーヒーが半分ほど残ったマグカップ。プラスチック容器《ようき》にはサンドイッチが一切れ残っている。くずかごの中の丸めた紙袋《かみぶくろ》を広げてみると「サンド

イッチハウス　オオヤマ」と印刷してあった。このマンションのすぐそばにあるサンドイッチ屋で買ったものであることはまちがいない。

そして、問題は――机《つくえ》の真ん中に広げられた紙ナプキンだ。

うすいピンクで「サンドイッチハウス　オオヤマ」と印刷された紙ナプキンには、油性《ゆせい》ペンではっきり「こ」という文字が書かれている。

おそらく命がつきる前に、どうにか1文字だけ書いたのだろう。

「警部《けいぶ》、これってダイイングメッセージですよね？　ぼく、初めて見ましたよ。」

部下がワクワクしたような声を出したので、わたしは彼《かれ》のうでをつねった。

ここには一般人《いっぱんじん》もいるんだ。態度《たいど》をわきまえてもらわないと困《こま》る！

「えー、イノダさん。もう一度、確認《かくにん》しておきたいんですが。」

わたしはせきばらいをして、後ろに立っているイノダ氏の方に向き直った。

イノダ氏は遺体《いたい》の第一発見者。このマンガ家のアシスタントをしているそうだ。

「ええと……今日は午後1時に約束してまして。でも、インターホンを鳴らしても応答《おうとう》がなかったんです。で、ドアノブを引いたら鍵《かぎ》がかかってなかったので『入りますよ』と声をかけながら部屋に入ったんです。こういうことはたまにあるんですよ。先生はいつもそのサンドイッチをお昼ごはんにしてますから、買い物から帰ってきて、すぐにぼくが来ることになってるときは鍵《かぎ》をかけないみたいで。そうしたら……。」

イノダ氏はここで言葉を切って、大きく息をはいた。

「先生が床《ゆか》に倒《たお》れていて……。もう脈《みゃく》はなかったです。とにかく、急いで通報《つうほう》した……それだけです。」

わたしはイノダ氏をイスにかけさせ、質問《しつもん》を続けた。ショックは大きいだろうが、今ここで聞いておかなければならないことがいくつかあるのだ。

今日、イノダさんのほかにここに来る予定の人がいたかどうかはわからないという。

イノダさん以外にここに来るのは、何人かの編集者《へんしゅうしゃ》とアシスタントたちにかぎられていることがわかった。背中《せなか》から刺《さ》されているので、犯人《はんにん》はおそらく気心が知れている相手だろう。いきなり侵入《しんにゅう》してきた強盗《ごうとう》に背《せ》を向ける可能性《かのうせい》は低い。

「ところで、イノダさん。あなたはこれに気がつきましたか？」

机《つくえ》の上の紙ナプキンを示《しめ》すと、イノダ氏はうなずいた。

「はい。ぼくもダイイングメッセージじゃないかと思いました。」

「この紙ナプキンにさわりましたか？」

「いいえ。こういうとき、何にもさわらない方がいいと思いましたし。」

「『こ』で始まる名前に心当たりはありますか？」

イノダ氏は考えこんだ。

「A《エー》社の編集者《へんしゅうしゃ》にコバヤシさんっていう人がいますね。あ、そうだ。わりと最近、1回だけアシスタントに来たコウノさんっていう若《わか》い子がいました。1回でクビになっちゃったんですけどね。」

「なるほど。参考になりました。ご協力ありがとうございます。」

イノダ氏を帰したあと、わたしは紙ナプキンをじっと見つめた。

「警部《けいぶ》、何か気になることがあるんですか？」

「この紙ナプキン、机《つくえ》に対してやけに真っすぐじゃないか？　死のまぎわの人がこんなに真っすぐに置けるものかな？」

わたしはそっと紙ナプキンを持ちあげてみた。机《つくえ》の紙ナプキンの下になっていたところには、油性《ゆせい》ペンのあとが少々《しょうしょう》うつっていた。しかし、机《つくえ》に残ったペンのあとは、「い」と読めるのだ。

そして、わたしはイノダ氏に対する疑《うたが》いを強めたのである。


紙ナプキンの文字は「こ」なのに、机《つくえ》の上に残った文字のあとは「い」に読めた。なぜ、こんなことが起こったのだろうか。

解《かい》説《せつ》

油性《ゆせい》ペンのあとが机《つくえ》に残っていたことから、主人公は重大なことに気づいた。紙ナプキンはうすいので、油性《ゆせい》ペンで書くとどちらが表かわからないくらい、裏面《うらめん》にもはっきりと文字がうつっている。主人公は紙ナプキンを裏返《うらがえ》し、左に90度回転させてみた。すると「こ」ではなく「い」に読めた。

問いただしたところ、イノダ氏は自分が犯人《はんにん》だと認《みと》めた。殺害《さつがい》したあとに一度マンションをはなれたが、「自分が来る予定になっていたのだから第一発見者として通報《つうほう》しないと不自然だ」と思い、引き返したところでダイイングメッセージを発見。これを持ち去るのではなく、ほかの人に容疑《ようぎ》がかかるように利用しようと思ったという。あわてていたので、机《つくえ》の上に油性《ゆせい》ペンのあとが残っていたことには気づかなかったのである。

03

ダイヤの行方《ゆくえ》

逆転《ぎゃくてん》↓なぜ？

「ダイヤを飲みこんだりなんかしてないって言ってるのに下剤《げざい》まで飲まされてさ。この責任《せきにん》、どう取ってくれるんですか？」

ナサニエルはエミリオ警部《けいぶ》に詰《つ》め寄《よ》った。

彼《かれ》は宝石《ほうせき》の展示場《てんじじょう》でダイヤモンドを飲みこんだ疑《うたが》いをかけられた。そして、警察《けいさつ》病院に連れてこられて下剤《げざい》を飲まされたが、便をさらってもダイヤは出てこなかったのだ。

「いや、わたしは確《たし》かに見たんだ。彼《かれ》が大きく口を開けてダイヤを飲みこむところを。それに事実、ダイヤはなくなっているじゃないか。」

警備員《けいびいん》はけん命にうったえる。

「だから何度も言ったでしょ？　ダイヤをよく見ようとして……そのときくしゃみが出そうになったから口に手をやった。そのはずみでダイヤを落としちゃったんだってば。そうしたらこの警備員《けいびいん》が飛びかかってきてさ。もう一度、すみずみまで会場を探《さが》してくださいよ。」

エミリオ警部《けいぶ》はため息をついた。

（まだダイヤがナサニエルの体内にとどまっている可能性《かのうせい》はあるのかな。内臓《ないぞう》のどこかに引っかかっているとしても、場所がわからなければ探《さが》せないし。）

調べてみると、過去《かこ》にもどろぼうがダイヤを飲みこんだケースがいくつかあった。いずれも下剤《げざい》を飲ませたらちゃんと便に混《ま》ざって出てきたという。

消えたダイヤは1カラット。大きさは直径約6・5ミリくらいだ。防犯《ぼうはん》カメラの映像《えいぞう》を確認《かくにん》すると、ナサニエルはダイヤをつまんだあと——体をひねってカメラに背《せ》を向け、ちょうど薬を飲みこむときのように顔を上げていた。

（飲みこむなら、顔を上げずにさりげなく口にふくんだ方が目につきにくいよな。

本当にくしゃみをしただけなのかも。）

「飲みくださないで、まだ口の中にかくしているのかもしれませんよ。」

そう言い出した者がいたので、エミリオ警部《けいぶ》は、ナサニエルに口を開けさせた。

しかし、ナサニエルの口の中でギラギラ輝《かがや》いているのはいくつもの大きな銀歯ばかり。モジャモジャした髪《かみ》の毛の間、耳の穴《あな》、鼻の穴《あな》なども入念に調べたが見つからない。

しかし、エミリオ警部《けいぶ》は――ナサニエルを帰してしまう直前に、まだ調べてはいない場所を思いついたのである。

ナサニエルはダイヤをどこに隠《かく》したのだろうか。もちろん服や靴《くつ》など彼《かれ》が身につけていたものは調べずみだ。

解説《かいせつ》

答えは、銀歯の中だ。ナサニエルはあらかじめ知りあいの歯医者に頼《たの》んで、銀歯を大きめに作ってもらった。そして、はずしたりはめたりできるようにしておいたのだ。ダイヤの展示場《てんじじょう》に来たときには銀歯をポケットに入れており、すばやくダイヤを銀歯の中に入れ、口を開けてはめたのである。

ダイヤモンドの価値《かち》はよく「カラット」で表される。カラットは重さを表す単位。1カラットは0・2グラムだ。カラット数が大きいほど高価《こうか》とはかぎらない。同じカラット数でも、色や透明度《とうめいど》、カットによって生まれる輝《かがや》きなどの条件《じょうけん》から価《か》値《ち》が決まる。なので、1カラットのダイヤでも数十万円～数百万円までさまざまなのである。

04

兄ちゃんの入社試験

成功→なぜ？

「ただいま！」と言いながらドアを開けて、玄関先《げんかんさき》にランドセルをブン投げようとしたら、そこに兄ちゃんが寝《ね》そべっていた。

「兄ちゃん、どうしたの？」

「いやー。めっちゃ疲《つか》れたから、ここで行き倒《だお》れてんの。」

「スーツを着てるってことは……今日、シューカツ（就職活動《しゅうしょくかつどう》）だったの？」

「そう。筆記試験だったんだよ。」

ははーん。あんまりできなかったんだろうな。

兄ちゃんは起き上がって座《すわ》りこんだ。ぼくも向かいあって座《すわ》る。

「おまえさ、マンホールのフタが丸い理由ってなんでだと思う？」

「へ？　そんなの……丸なら穴《あな》に落ちないからじゃないの？　四角や三角のフタだと、穴《あな》に落っこちるよね。」

「おまえ、スゲーな。今の、今日の試験問題なんだよ。」

ぼくは驚《おどろ》いた。就職試験《しゅうしょくしけん》ってクイズみたいだな。

「ぼく、四角いビンのジャムを開けたときにフタを中に落としちゃったことあるんだもん。丸いフタならこんなことにならないのにって、腹立《はらた》ったんだよね。」

「ふーん、そうか。じゃあ、この問題はどうだ？」

兄ちゃんはポケットからマスクを取り出してヒモをぶっちぎった。そして、2本のヒモを並《なら》べてみせる。

「ここに、2本の導火線《どうかせん》がある。両方とも1時間ぴったりで燃《も》えつきる。この2本の導火線《どうかせん》と1個《こ》のライターを使って、45分を計ってみよ！」

「導火線《どうかせん》をはさみで切るのはダメなんだよね？」

「その通り。ライター以外の道具は使っちゃダメ。」

あ、そっか。そうだよなぁ。1本を4等分に切ったのを順々《じゅんじゅん》に3つ燃《も》やして「45分」を計れるなら、導火線《どうかせん》が2本ある意味がないもんね。

兄ちゃんは「これが解《と》けたら、一流企業《きぎょう》に入れるレベルだぞ」と、ニヤニヤ笑う。

これは難《むずか》しいな。と、なにげなく立ち上がろうとしたとき。

ゴツン……火花が散った！

ちょうど兄ちゃんも立ち上がろうとして、両方から頭がぶつかったから痛《いた》いのなんの。でも、まさにこの瞬間《しゅんかん》――ぼくは難題《なんだい》を解《と》くカギに気づいたってわけさ。

あなたもこの導火線《どうかせん》の問題を解《と》いてみてほしい。

解説《かいせつ》

最初に、1本目の導火線《どうかせん》の両はし（2か所）と、2本目の導火線《どうかせん》の片方《かたほう》に同時に火をつける。1本目は両側から燃《も》えていくので、真ん中で燃《も》えつきたときには30分たったことになる。このとき、2本目の導火線《どうかせん》の火をつけていない方に火をつける。この2本目が燃《も》えつきるには15分かかる。つまり、45分たったことになるのだ。

まず、主人公のように「導火線《どうかせん》を切り分ける」と考えた人は多いと思うが、はさみは使えない。両はしから火をつけて、切らずに「切り分ける」ことを思いつけるかどうかがポイントだ。

この話に登場した2つの問題は、いずれもビル・ゲイツが創業《そうぎょう》したマイクロソフト社の入社問題に出たもの。ソフトウェアの開発には、プログラミングの知識《ちしき》や技《ぎ》術《じゅつ》だけでなく、柔軟《じゅうなん》な発想力や創造力《そうぞうりょく》が求められる。仕事の場だけでなく、さまざまな場面で問題にぶつかったとき、いろいろな角度からものごとをながめて解決《かいけつ》する力は、生きる上で役立ってくれるのだ。

05

シャンソンの夕べ

失敗↓なぜ？

「シノダくん、きみに重要な任務《にんむ》を頼《たの》みたいんだ。」

ミナガワ社長に真剣《しんけん》な顔でせまられて、シノダはびっくりした。

「重要な任務《にんむ》？　ぼくみたいな新入社員に？」

ミナガワはデスクの引き出しから『シャンソン名曲集』を取り出した。

「きみは確《たし》かピアノが得意《とくい》だって言ってたよね。この伴奏《ばんそう》、弾《ひ》けるかい？」

シノダは譜面《ふめん》をパラッとめくると、よゆうの笑顔《えがお》になる。

「弾《ひ》けますよ。５歳《さい》からピアノやってますからね。」

「よかった！　来月、A《エー》社の人たちを接待《せったい》するんで練習してきてほしいんだ。」

A《エー》社とは、ミナガワの会社の大口の取引先である。社長のフナサキ氏はやたらえらそうで怒《おこ》りっぽい。取り扱《あつか》い要注意の人物ではあるが、ミナガワの会社をひいきにしてくれている。

「そろそろごきげんを取っておかないと」と考えたミナガワは、ピアノがあるバーを借り切って接待《せったい》することを思いついた。フナサキ氏はシャンソン（フランスの大衆《たいしゅう》的な歌）が大好きで、よくカラオケで歌っている。「一度、ピアノの伴奏《ばんそう》で歌ってみたい」と言っていたのを思い出したのだ。

「当日は、フナサキさんにもこの曲集をさしあげて、ここから選んでもらう。えーと……フナサキさんが必ず歌うのは『枯葉《かれは》』だな。あとは予想がつかないけど、だいじょうぶかね？」

「まかせてください。この程度《ていど》の譜面《ふめん》なら初めて見てもらくらく弾《ひ》けますよ。」

さて、当日。ミナガワの接待《せったい》作戦は大成功。

「さすがはフナサキ社長。心にしみる歌声ですねぇ。次の曲はなんですか⁉」

みんなにほめあげられて、フナサキ氏はニコニコ顔だ。

「じゃあ、次は十八番にするかな。」

シノダは急いでページをめくり、鍵盤《けんばん》の上に指をすべらせた。ところが……。

「ストップ！　曲がちがうぞ！」

フナサキ氏はまゆをつりあげている。

「十八番だと言っただろうが！」

シノダは広げた譜面《ふめん》をもう一度見直した。まちがいなく『18恋《こい》は水色』とある。

しかし、「フナサキ社長には何があっても口答えをしてはいけない」と言い聞かされている。「でも、18番の曲を弾《ひ》いたんですよ」などと言うことは許《ゆる》されないのだ。

シノダがだまっていると、ミナガワがあわててフナサキ氏のそばにかけ寄《よ》ってとりなし始めた。

「いやぁ、このシノダは大学を卒業したばかりの新人で……ともかく物を知らないんです。どうか失礼をお許《ゆる》しください。シノダはフナサキ社長とごいっしょするのも初めてなわけですし。今日はフナサキ社長の伴奏《ばんそう》をするという大役をおおせつかって、だいぶ緊張《きんちょう》しているようなんです。」

（ちぇっ、ペコペコしちゃって。）

シノダはおもしろくない気持ちになった。いくらなんでも、ここまで下手に出なくてもよさそうなものではないか。

ミナガワの合図で、カウンターの奥《おく》からバーテンダーがワインのボトルとグラスを持ってきた。

ミナガワは、けん命にフナサキ氏の顔色をうかがいながら話し続ける。

「でも、シノダはピアノの腕《うで》はなかなかで、音楽が好きな若者《わかもの》です。きっとフナサキ社長の伴奏役《ばんそうやく》として、これからもお役に立つと思います。たとえばソロ・リサイタルを開くときにはぜひ使ってやってください。」

フナサキ社長は、「ソロ・リサイタル」という言葉を聞くとたちまちきげんを直した。

「うむ。それはいいな。きみ、しっかり練習してくれたまえよ。よし、それじゃあ、もう一度やり直しだ。」

ミナガワはフナサキ社長が飲み干《ほ》したグラスを受け取ると、シノダの目の前の楽《がく》譜《ふ》をパラパラとめくった。

こうして――接待《せったい》の夜はつつがなく続いたのである。

フナサキ社長とシノダは、まったく同じ楽《がく》譜《ふ》を持っていた。それなのに、なぜ食いちがいが起きたのだろうか。

解説《かいせつ》

ミナガワが、シノダのことを「物を知らない」と言ったのは言葉の一般常識《いっぱんじょうしき》についてだ。じつは、フナサキ社長が「十八番」と言ったのは、曲集のナンバーのことではない。「十八番」という言葉は、「その人が得意《とくい》な芸や技《わざ》」という意味なのだ。

フナサキ社長の「十八番」といえば、『枯葉《かれは》』。シノダもその情報《じょうほう》は知らされていたのだから、「十八番」の意味さえわかっていれば対応《たいおう》できたはず。しかし、ふつうに数字のことだと思って、「18」のナンバーがふられた曲のページを開いてしまったので食いちがいが起こったのだ。このあと、シノダはみごとに『枯葉《かれは》』の伴奏《ばんそう》を弾《ひ》きこなし、フナサキ社長もおおいに満足したという。

「十八番」は「じゅうはちばん」、あるいは「おはこ」とも読む。江戸《えど》時代の歌舞伎《かぶき》から生まれた言葉で、歌舞伎《かぶき》役者の7代目市川團十郎《だんじゅうろう》が、市川家代々《だいだい》に伝わる18種類の演目《えんもく》を『歌舞伎《かぶき》十八番』としたことから、得意《とくい》の技《わざ》を「十八番」と呼《よ》ぶようになったという。

06

スニーカーマニアの悩《なや》み

危機《きき》→逆転《ぎゃくてん》？

カレーうどん屋に入った瞬間《しゅんかん》、リュウトは少し顔をくもらせた。

「ここって、靴《くつ》ぬいであがる店なのか。」

「え、もしかしてその新品のスニーカーを一瞬《いっしゅん》でもぬぎたくないわけ？」

リュウトがはいているのは有名なバスケットボール選手のコラボモデルのスニーカーだ。スニーカーにしちゃあ高価《こうか》だが、すごく人気があるんだって。ものによっては中古品でも、元より高い値段《ねだん》で取引されることがあるという。

リュウトは大学に入ってからスニーカーにこり始めた。

スニーカーの専門雑誌《せんもんざっし》なんかも買ってて、ときどきオレに見せながらそのスニーカーのどこがカッコいいかを熱く語ったりするんだ。バイト代もほとんどスニーカーにつぎこんでるらしい。

今日は2人で映画《えいが》を観《み》たんだけど、そのあとリュウトの好きな店に寄《よ》って、ひとしきりスニーカーを鑑賞《かんしょう》してきたところだ。へぇ、カッコいいじゃんと思って手に取ったのが3万5000円でビビった。急いで棚《たな》にもどしたよね。

オレはさっさと……そこらの量販店《りょうはんてん》で買った1900円のスニーカーをぬいであがったが、リュウトはまだスニーカーをぬごうとしない。

「なにグズグズしてんだよ。リュウトがカレーうどん食べたいって言うから連れて来たのに。ここのカレーうどんは絶品《ぜっぴん》だぜ。」

すると、リュウトは声をひそめて言った。

「このげた箱、鍵《かぎ》がかからないじゃん。スニーカーが盗《ぬす》まれたらイヤだなと思って。けっこうあるらしいんだよ……。」

なるほど。げた箱には一つひとつ扉《とびら》がついてるけど、鍵《かぎ》はない。げた箱はレジから見えにくいし、レジにはいつも人がいるわけじゃないもんな。パッと開けてサッと持っていくのは可能《かのう》かも。
でも、すでに店にただようカレーうどんのにおいをかいでしまったオレに、ほかの店に行く選択肢《せんたくし》はなかった。ここのカレーうどんを食べたい！
その一心から——オレはとある秘策《ひさく》を考え出したんだ。

オレたちはちゃんとスニーカーをげた箱にしまい、２人そろっておいしいカレーうどんにありついた。リュウトも安心して味わったみたいだ。うん、この方法は悪くない。どろぼうじゃなくても、世の中には他人の靴《くつ》をまちがえてはいて帰るおっちょこちょいがいるらしいし。そんな被害《ひがい》を避《さ》けるにも有効《ゆうこう》だね。

主人公が考えた、スニーカーを盗《ぬす》まれないためのアイディアとはどんなものだろうか。

解説《かいせつ》

主人公は、リュウトのスニーカーと自分のスニーカーを片方《かたほう》ずつ組み合わせてげた箱にしまったのだ。となりあわせではなく、はなれた所にしまうのがポイントだ。万が一、悪い人がそのげた箱を開けて「これは高値《たかね》で売れるスニーカーだ」と気づいたとしても、片方《かたほう》では売り物にならない。もう片方《かたほう》を探《さが》し当てるには、片《かた》っぱしからほかのげた箱を開けまくらなくてはならない。人目につかずに見つけて持ち去るのはさすがに難《むずか》しいのだ。

07

さまよえる石

理由→なぜ？

２０００年代初頭。アメリカはカリフォルニア州、デスバレー国立公園にて。

ルークは車のドアを開け、カラカラに乾《かわ》いた地面に足を下ろした。

「オーウェン、ついに来たな！」

「ああ、遠かったな。オレたち、相当なもの好きだよ！」

２人が目指してきたのは、広大なデスバレー国立公園内の「レーストラック・プラヤ」という平原である。かつては湖だったが、水が干上《ひあ》がって平原になったという。

平原を見わたすルークとオーウェンの顔に、じわじわと興奮《こうふん》の色が浮《う》かぶ。

「うん、石があるな。」

「あの石が……動くんだよな？」

2人の大学生は、長時間のドライブをしてひび割《わ》れた大地を見に来たわけではない。彼《かれ》らが「運転免許《めんきょ》を取ったら2人でレーストラック・プラヤに行こう」と約束していたのは、「動く石」を自分の目で見るためである。

ひび割《わ》れた茶色の大地に、大小さまざまな石が転がっていて——どの石からも引きずったような長い長い線がのびている。そう、ここの石はだれかが動かしたわけでもないのに「勝手に移動《いどう》する」のだ。その軌跡《きせき》が、石同士《どうし》で競走でもしたように見えることから「レーストラック・プラヤ（平原）」と呼《よ》ばれている。

2人はそろそろと石に近づいた。石にさわったり動かしたりしてはいけないことになっているので、慎重《しんちょう》に距離《きょり》を取ってながめる。「動く石」は、1940年代から語り継《つ》がれるミステリーだ。1年に300メートル以上も移動《いどう》することがあるそうだが、動くところを見た人はだれもいない。

ルークは、とりわけ大きい直径40センチはありそうな石のそばに立った。

「不思議だよなぁ。こりゃあ確《たし》かに、石が勝手に動いたとしか思えないよ。」

今は乾燥《かんそう》しきっているが、冬から春先の雨季には雨が降《ふ》る。ぬかるみの上なら人間が押《お》すこともできそうだが、それなら人の足跡《あしあと》がつくはずだ。タイヤなどの跡《あと》もない。「野生動物が動かしたのでは」という仮説《かせつ》もあったが、動物の足跡《あしあと》だってない。

オーウェンはしゃがみこんで、石の跡《あと》をながめる。

「一年中風が吹《ふ》くから、強風で動くっていう説もあったよな。でも、重さ100キロの石を動かすほどの強風はありえないって。」

「磁力《じりょく》説は有力かと思ったんだけどね。地底の磁気《じき》の変化の影響《えいきょう》で動くっていうのはありそうじゃないか。でも、この石には磁気《じき》はふくまれていないんだよな。あとは地震《じしん》で動いたっていう説？」

「地震《じしん》じゃ、こんな跡《あと》はつかないよな。傾斜《けいしゃ》もない平らな土地だし。」

2人は、長い長い石の跡《あと》をながめた。写真で見たことがあったが、この跡《あと》は1本が何キロにもわたるほど長い。直線もあれば曲線もあり——なんとも不思議なのは急な角度で折れ曲がった軌道《きどう》だ。

「だれかが意図的に引いた線みたいに見えるよなぁ。」

「これだけ広い場所に線を描《えが》くなんて人間ワザじゃない。」

２人は顔を見合わせた。

「やっぱり宇宙人《うちゅうじん》のしわざなのかも？」

じつは、宇宙人《うちゅうじん》説を支持《しじ》する人の数は多かった。この土地が「エリア51」と呼《よ》ばれる空軍基地《きち》と遠くないことも、その理由のひとつだ。「エリア51」は秘密《ひみつ》のベールに包まれた軍事施設《しせつ》で、「墜落《ついらく》したＵＦＯ《ユーエフオー》や捕獲《ほかく》した宇宙人《うちゅうじん》が運びこまれている」といったうわさが絶《た》えないのだ。

ルークは空を見上げ、少しもったいぶって言った。

「ひとつ断言《だんげん》できることがある。宇宙人《うちゅうじん》が超能力《ちょうのうりょく》を使ったか、身長５００メートルの巨人《きょじん》が石を動かして遊んだとしても、それは雨が降《ふ》ったあとじゃないかな。乾燥《かんそう》してたら、地面に跡《あと》が残ることはないもの。」

「雨が降《ふ》ったあと地面がこおって、氷の上をすべったのかも？」

オーウェンは顔を輝《かがや》かせたが、「でも、それじゃあ地面の上に跡《あと》は残らないよ」というルークの言葉に肩《かた》を落とした。結局、納得《なっとく》のいく答えは見つからないまま、2人はレーストラック・プラヤをあとにしたのである。

それから何年かあと。研究者チームによって「動く石」の謎《なぞ》は解明《かいめい》された。そのニュースを読んだルークは鼻高々《たかだか》になったものである。

「オレの推測《すいそく》、方向性《ほうこうせい》は悪くなかったよな。」

「うん、オレの考えだってさ、まったく見当はずれじゃなかったよ。オレたちの推《すい》理《り》、だいぶいいとこまでいったよな！」

重さ100キロもあるという石が勝手に移動《いどう》したのはなぜだろうか。何かが石を押《お》したようだが、その理由を推理《すいり》してみてほしい。

解《かい》説《せつ》

アメリカのカリフォルニア州、デスバレー国立公園内の「動く石」の謎《なぞ》は長い間議《ぎ》論《ろん》されていたが、研究チームによって2014年に真相が発表された。この前年、レーストラック・プラヤには10年に一度の大雨が降《ふ》り、地表は巨《きょ》大《だい》な水たまりのようになった。夜に気温が下がって氷が張《は》ったが、翌《よく》日《じつ》の昼には氷が溶《と》け始める。そこへ強風が吹《ふ》き、ガラスのように氷が割《わ》れた。割《わ》れた板《いた》状《じょう》の氷が風を受けて石を押《お》し、どろにおおわれた水たまりの上を移《い》動《どう》させたのだ。急角度に曲がった軌《き》道《どう》ができたのは、風の向きが変わったためというわけ。

この現《げん》象《しょう》はそうそう起こるものではないそうだ。氷が風で動く程《てい》度《ど》に薄《うす》く、石を押《お》せる程《てい》度《ど》に厚《あつ》くなければならない。さらに、ちょうどいい強さの風、氷や石が動きやすい量のたまり水などの条《じょう》件《けん》がそろわないと石が動くことはない。目《もく》撃《げき》した人によれば、石は1分間に4～5メートルと非《ひ》常《じょう》にゆっくり動いたそうである。

08

今週の暗号

解読《かいどく》→結果？

「これが今週の問題だ。」

フジタが紙きれを差し出すと、5人の目が集中した。

推理《すいり》小説好きの小学5年生たちで結成した少年探偵団《たんていだん》は、「探偵団《たんていだん》」と名乗っているものの活躍《かつやく》の場がない。謎《なぞ》めいた事件《じけん》が起こっていないか近所をパトロールするくらいだ。

そこで、リーダーのサトシが「探偵《たんてい》の能力《のうりょく》を上げるための訓練をしよう」と言い出した。身をかくしながら人のあとをつける尾行《びこう》の練習、小石を的に当てる練習、記憶力《きおくりょく》を高めるためにトランプの神経衰弱《しんけいすいじゃく》をするなど……。

週1回、暗号が好きなフジタが問題を作ってくるのもお決まりになっていた。

「この暗号文には3文字空いてるところがある。その文字は何か？」

あの　しろい　はま
ひかる　ほ　うむ
なんにちも　たってさえ
わすられぬ　ゆめ　みやり
□□□せよ　ふねをこげ　そとへ

5分たち、10分たってもだれも解《と》けない。サトシが「とりあえず漢字に書き直してみるか」と言って、えんぴつを取り出した。

「『あの白い浜《はま》　光る帆《ほ》　生む。何日も　たってさえ　忘《わす》られぬ　夢《ゆめ》　見やり
□□□せよ　舟《ふね》をこげ外へ』か……。」

「さっぱりわかんないや。」

「光る帆《ほ》って何のことだ？　貝がらのことかな？」

みんなは話しあい始めたが、このままでは正解《せいかい》が出そうにない。

フジタは得意《とくい》げな笑いを浮《う》かべ、口を開いた。

「それじゃ、ヒントを出すよ。漢字に書き直して意味を考え出しちゃうと、この暗号文は解《と》けない。ひらがなの暗号文をよく見て考えてくれ！」

フジタが出したヒントに、暗号文の法則《ほうそく》がかくされている。暗号文の中の空白の3文字にはどんな言葉が入るのだろうか。

解説《かいせつ》

この暗号文を読み解《と》くキーワードはズバリ「ひらがな」。この文章は「ひらがなの46文字を、各1回しか使わない」というルールでできている（ただし、や行の「い・え」とわ行の「ゐ・う・ゑ」は、あ行と重なるため使わない）。これは、よく知られた言葉遊びだ。

「あの　しろい　はま　ひかる　ほ　うむ　なんにちも　たってさえ　わすられぬ　ゆめ　みやり　□□□せよ　ふねをこげ　そとへ」の中で、使われていないひらがなを探《さが》すと「お」「き」「く」。これを並《なら》べかえた「記憶《きおく》」が答えだ。

約1000年前、かな文字を学ぶために作られた「いろは歌」も、47文字を一度だけ使って作られている。「いろはにほへと　ちりぬるを　わかよたれそ　つねならむ　うゐのおくやま　けふこえて　あさきゆめみし　ゑひもせす」。昔の言葉なのでちょっと難《むずか》しいが、「あいうえお」とちがって意味のある文章になっている。興味《きょうみ》のある人は調べてみよう。46文字を使った文章作りにもぜひ挑戦《ちょうせん》を！

09

宇《う》宙《ちゅう》飛《ひ》行《こう》士《し》、危《き》機《き》一《いっ》髪《ぱつ》

危《き》機《き》↓なぜ？

真っ暗な宇宙《うちゅう》に自分の体ひとつで飛び出すと、ヘッドセットから宇宙船《うちゅうせん》のクルーの声が聞こえてきた。

「ルカ、何か問題はありませんか？」

「こちらルカ。すべて順調です。」

ベテランの宇宙飛行士《うちゅうひこうし》であるわたしは宇宙遊泳《うちゅうゆうえい》を20回以上経験《けいけん》しているが……宇《う》宙船《ちゅうせん》の外に出ると、いつも特別な気持ちになる。

宇宙飛行士《うちゅうひこうし》の活動の中でもっとも危険《きけん》なミッションだから、緊張感《きんちょうかん》がはりつめているのはもちろんだ。

そんな不安と、子どものころから憧《あこが》れた宇宙《うちゅう》空間に身を置いている感動が混《ま》じりあって、気分が高まるのだ。

おっと、「自分の体ひとつ」とはいっても、身につけている宇宙服《うちゅうふく》にはいろいろな機能《きのう》が搭載《とうさい》されている。これは服の形をした、一人用の宇宙船《うちゅうせん》みたいなものだからね。

宇宙《うちゅう》には空気がない。だから、宇宙服《うちゅうふく》の中は酸素《さんそ》で満たされている。はき出した二酸化炭素《にさんかたんそ》は吸《す》い取られ、服の中には減《へ》った分の酸素《さんそ》が供給《きょうきゅう》される仕組みだ。宇宙服《うちゅうふく》の胸《むね》には、服の内側の温度や気圧《きあつ》を調整するスイッチなどがいっしょになったコントロールボックスがついている。

無線機は、背中《せなか》に取りつけられた大きな箱「生命維持装置《いじそうち》」にセットされている。ここには酸素《さんそ》タンクやコンピュータ、電力を供給《きょうきゅう》するバッテリーなどが入っているんだ。万が一命づなが切れてしまった場合、ガスを噴出《ふんしゅつ》して移動《いどう》できる装置《そうち》も用意されている。幸い、一度も使ったことはないけれど。

さらに、頭のヘルメットの上にはライトとテレビカメラがのっかっているといった具合。

「そんなにいろんな物をくっつけて重くないんですか？」って質問《しつもん》されたことがあるけどね。宇宙《うちゅう》は無重力空間。だから、重さは感じないんだ。

今日のミッションは、宇宙船《うちゅうせん》が停泊《ていはく》しているＩＳＳ《アイエスエス》（国際宇宙《こくさいうちゅう》ステーション）のメンテナンスである。


作業開始から20分ほどたって。

わたしはある異変《いへん》に気づいた。

首の後ろに、ひんやりとした水滴《すいてき》の感触《かんしょく》がある。

汗《あせ》かと思ったが。汗《あせ》にしては冷たすぎる。

手でさわって確《たし》かめたいところだが、宇宙服《うちゅうふく》を着こんでいるからそういうわけにはいかない。

水もれか？

心臓《しんぞう》がドキンとした。

口元の飲料水ストローが逆流《ぎゃくりゅう》しているわけではなさそうだ。

となると……考えられるのは冷却水《れいきゃくすい》かも？

宇宙服《うちゅうふく》の中に着る専用《せんよう》のピッタリした下着には細いチューブがはりめぐらされていて、中を冷たい水が流れている。宇宙《うちゅう》では熱が外に逃《に》げないので、こうして体を冷やしているのだが……。

水は首の後ろから頭を伝い、顔の全面にじわじわ広がってきた。

やばい。耳に入ったぞ。

頭をふったが、水は出ていかない。

「こちらルカ。トラブル発生です。」

ヘッドセットからクルーの声がしているが、耳に水が入っているせいでよく聞こえない。

いや、これ以上しゃべるのはやめよう！　危険《きけん》すぎる。

ヘルメットの中に入ってきた水は、コップ１杯《ぱい》くらいの量だろうか。

急ごう！

一刻《いっこく》も早く宇宙船《うちゅうせん》に帰らなくては！

主人公のヘルメットにもれてきた水の量は推定《すいてい》コップ１杯《ぱい》くらい。その程度《ていど》の水であせっているのはなぜだろうか。

解説《かいせつ》

無重力空間の宇宙《うちゅう》では、水は流れ落ちない。顔に水がかかると、皮膚《ひふ》の上をどんどん広がっていくので、少量の水でもおぼれる可能性《かのうせい》があるのだ。水が耳や目に入ると、頭を振《ふ》っても出ていかない。主人公には顔全体に水がかかることで鼻から肺《はい》に水が入ってしまい、窒息《ちっそく》する危険《きけん》がせまっていたのだ。これはイタリア人の宇宙《うちゅう》飛行士《ひこうし》、ルカ・パルミターノさんの実際《じっさい》の体験を元にした話。彼《かれ》は宇宙船《うちゅうせん》にもどりつき、同僚《どうりょう》にヘルメットをはずしてもらうことができた。もしパニックを起こして行動がおくれていたら、おぼれていたかもしれないという。水もれの原因《げんいん》は、宇宙《うちゅう》服《ふく》に水を流す装置《そうち》の故障《こしょう》で、冷却水《れいきゃくすい》が酸素《さんそ》を送る空調システムに流れこんだためだった。無重力では水は球のように集まって宙《ちゅう》をふわふわ浮《う》くが、水には人の体にくっつきやすい性質《せいしつ》がある。そんなわけで、宇宙船《うちゅうせん》にはシャワーはない。体の汚《よご》れは水をふくませたタオルでふき、洗《あら》い流さなくてもよいボディソープやシャンプーを使用する。

10

運命の郵便《ゆうびん》ポスト

失敗↓なぜ？

W《ダブリュー》氏が殺《ころ》されたら、オレに疑《うたが》いがかかるだろうと覚悟《かくご》はしていた。

だが、オレの取り調べを担当《たんとう》しているカネムラ刑事《けいじ》は、穏《おだ》やかで好感の持てる人物だ。オレを初めから犯人《はんにん》と決めつけるような言い方をすることもない。

落ち着いて対処《たいしょ》すれば、きっと勝ち目はあるはずだ！

警察《けいさつ》では、W《ダブリュー》氏が殺害《さつがい》された時刻《じこく》は午後6時から7時ごろと割《わ》り出していた。

で、その間にオレがどこで何をしていたか、細かく話しているわけだが。

「あなたは5時半に仕事場を出て、自動販売機《はんばいき》で缶《かん》コーヒーを買ってU《ユー》公園で休憩《きゅうけい》をした。そのあとスーパーで買い物をして、7時に家に帰ったと。これでまちがいありませんね？」

「はい。」

オレはうなずいた。ウソをつくときは、事実を混《ま》ぜるといいらしい。だから、オレの供述《きょうじゅつ》はほぼホント。「U《ユー》公園で休憩《きゅうけい》をした」という部分だけがウソである。

「スーパーに寄《よ》ることは多いんですか？」

オレは財布《さいふ》にためこんだレシートの束を取り出す。このレシートには買い物をした日と時刻《じこく》が印刷されているし、スーパーの防犯《ぼうはん》カメラにはちゃんとオレの姿《すがた》が映《うつ》っているはずだ。

レシートから何か重要なことが読み取れないか目をギラつかせているカネムラ刑《けい》事《じ》に、オレはなんてことないふうに話しかけた。

「ぼくの妻《つま》は先天的な色覚障害《しょうがい》でしてね。赤や緑は茶色っぽく見えちゃう。だから、妻《つま》が真っ赤な完熟《かんじゅく》トマトが食べたいときは、いつもぼくが買って帰るんです。」

「ああ、そうなんですか。」

これはさりげなく「いい人」っぽいエピソードを提供《ていきょう》して、好印象《こういんしょう》を与《あた》える作戦のひとつ。妻《つま》が色覚障害《しょうがい》を持っているのは本当だ。

カネムラ刑事《けいじ》は、まゆをひそめて言った。

「しかし、問題はあなたが公園にいた時刻《じこく》です。仕事場からU《ユー》公園には行かず、W《ダブリュー》氏の家に行って犯行《はんこう》を行い、それからスーパーで買い物をして帰ることも可能《かのう》なはずです。U《ユー》公園であなたを見たという目撃証言《もくげきしょうげん》がなければ。」

オレは、少し大げさにため息をついた。

「あの日は、ぼくのほかにはだれもいなかったですね。仕事のあと、ちょっと一人になりたいときってないですか？　だからこそ、いつもすいてるU《ユー》公園が気に入ってるんですけど……。」

それから、ちょっと思い出したように言う。

「あ、そうだ。参考になるかわかりませんが……あの日はU《ユー》公園に行く前にだいぶ回り道をしたんです。A《エー》郵便局《ゆうびんきょく》の前のポストに封書《ふうしょ》を投函《とうかん》したかったんですよ。少し遠いけど、調べたらあそこは最終の収集《しゅうしゅう》が6時なので間にあうと思って。」

「うーん、ポストかぁ……。」

カネムラ刑事《けいじ》は頭をかいたが、何かを思いついたらしくパソコンにさわり始めた。

「A郵便局《エーゆうびんきょく》と言いましたね？　ふつう、郵便物《ゆうびんぶつ》をどこのポストから投函《とうかん》したかを調べることはできないですが、例外があるらしい。A郵便局《エーゆうびんきょく》の前のポストの場合、A《エー》郵便局《ゆうびんきょく》の消印が押《お》されるらしいです。」

「そうなんですか!?」

いやぁ、カネムラ刑事《けいじ》は優秀《ゆうしゅう》だ。気づいてくれなかったら、こっちからヒントを出さなきゃならないところだった。

本当は、ポストに郵便物《ゆうびんぶつ》を投函《とうかん》したのは妻《つま》なのだ。

「あなたが出した郵便物《ゆうびんぶつ》の宛先《あてさき》の方に封書《ふうしょ》を見せてもらって消印を確認《かくにん》できれば、証拠《しょうこ》になるかもしれませんね。あなたがA郵便局《エーゆうびんきょく》まで行ったなら、そこからW《ダブリュー》氏の家に行って犯行《はんこう》を行い、スーパーのレジで6時半に支払《しはら》いをすませるのは時間的に無理がある。」

「ありがとうございます！」

これで、オレのアリバイはめでたく証明《しょうめい》されたと思ったが。

次の日、カネムラ刑事《けいじ》はこんなことを聞いてきたんだ。

「ちなみにあなたが投函《とうかん》したのは、どんなポストでしたか？」

オレはカネムラ刑事《けいじ》の顔をまじまじとながめた。

「え？　ふつうのですが……。」

するとカネムラ刑事《けいじ》は満足そうな表情《ひょうじょう》を浮《う》かべたんだ。

「そうですか。ええ、これでいろいろ話がつながりましたよ！」

まさか、この返答によってオレのウソにほころびができ、逮捕《たいほ》されるとはね……。


カネムラ刑事《けいじ》はなぜ、主人公のウソを見ぬいたのだろうか。

解《かい》説《せつ》

郵便《ゆうびん》ポストは一般的《いっぱんてき》には赤だが、じつは全国にはいろいろな色のポストがある。街の雰囲気《ふんいき》にあわせて茶色やグレーなど落ち着いた色にしている地域《ちいき》もあるし、ピンクや緑のものもある。A郵便局《エーゆうびんきょく》の前にあるポストは緑色だったのだ。

主人公が語った通り、妻《つま》は色覚障害《しょうがい》を持っており、赤と緑が見分けにくい。赤も緑も茶色っぽい色に見えていたので、ポストが「一般的《いっぱんてき》な赤色ではなかった」と主人公に伝えることができなかったのだ。

色覚障害《しょうがい》は、目の網膜《もうまく》にある細胞《さいぼう》の機能《きのう》が一部うまく働かないことによって起こる。なお、色覚障害《しょうがい》にはいくつかの色の見え方のパターンがあり、ここで紹介《しょうかい》したケースに当たらないものもある。

11

算数の天才

方法↓なぜ？

今から200年以上むかし、ドイツのとある小学校にて。

ビュットナー先生は教室の時計にちらりと目をやった。

(教科書は予定のところまで進んだし、練習問題でもやってもらうことにしようかな。あ、いい問題を思いついたぞ。)

「これから、足し算の問題をやってもらいます。」

生徒たちの顔が引きしまったのを見て、先生はゆっくり口を開く。

「1から100までの数を全部足すと、いくつになるでしょう？」

「えーっ！　そんなのたいへんすぎるよぉ……。」

算数の苦手なエーリクが情《なさ》けない声を上げる。

ひょうきん者のゲオルクは「1＋2＋3＋……」と手の指を折りはじめたが、すぐに「ダメだぁ。指じゃ数えられねぇ！」と、机《つくえ》につっぷした。

「ゲオルク、ふざけてないでちゃんと計算しなさい。エーリク、この問題は解《と》くのに時間はかかるけどそんなに難《むずか》しくないよ。ていねいにやればできる。」

教室のみんなはようやく静かになって石板（ノートの代わりに使われていた石の板。ろうが混《ま》ざった石筆で書き、消すときは布《ぬの》でふき取る）に向かっている。

（きっとカールが一番早くできるだろう。あの子は計算が得意《とくい》だから。それでも10分はかかるかな。）

ビュットナー先生は窓辺《まどべ》に立った。ガラスごしに届《とど》くうららかな日差しを浴びて小さくあくびをしたとき、カールが手をあげた。

「先生、できました。」

「えっ、もう？」

予測《よそく》はしていたものの、あまりに早すぎる。

しかし、カールはちゃんと正解《せいかい》の「５０５０」を導《みちび》き出している。

「カール、きみはどうやってこの問題を解《と》いたんだ？」

カールの説明を聞いて、ビュットナー先生はまた驚《おどろ》いた。

先生は「１＋２＋３＋……」と順に足していく方法しか知らなかったのに、カールはまったくちがう計算方法を使っていたのである。

「この計算方法は、だれに教わったのかね？」

「いえ、今、考えついたんです。」

カール先生は感心しきってしまった。そして、「カールの才能《さいのう》をもっとのばさなくては」と、彼《かれ》のために高度な教科書を取り寄《よ》せたのである。


カールが考えついた計算方法とはどんなものだろうか。

解説《かいせつ》

「1+2+3+……98+99+100」と計算していくと、かなりの時間がかかる。カールが気づいたのは「1+100=101」「2+99=101」「3+98=101」となる法則《ほうそく》だ。これがわかれば全部書き出してみなくても、「50+51=101」であることがわかる。カールが考えついた計算方法は次の通り。

1から100の合計=101×50=5050

「本当かな?」と思った人は、1から100までの数字を書いて、「1と100」「2と99」というように数を外側から結んで、確認《かくにん》してみよう。

この話は、19世紀《せいき》最大の数学者、ヨハン・カール・フリードリヒ・ガウスの小学生時代のエピソードを元にしたもの。この計算方法の理論《りろん》は、現代《げんだい》では高校生の数学の教科書にのっている。最初に発見したのは14世紀《せいき》のフランスの数学者といわれているが、カール少年はこの方法を自分の頭で考えついたのだから天才というしかない。

12

運命の人

失敗↓なぜ？

アメリカのサウスカロライナ州に生まれたジェニファーという女の子と、日本人のぼくが東京の大学でめぐりあう――それは運命的なできごとだった。

ぼくらは出会ったその日、その瞬間《しゅんかん》に恋《こい》に落ちていた。目があった瞬間《しゅんかん》、お互《たが》いに感じていた。特別な相手に出会ったんだと。

ぼくらは自然に恋人同士《こいびとどうし》になり、たくさんのことを話した。これまでの21年間、どんなふうに生きてきたか。家族や友人のこと、楽しかったこと、がんばったこと。好きな勉強、好きな本、好きな食べ物。どんな仕事につきたいか、生きる上で大事にしたいのはどんなことか。話せば話すほど、ぼくたちの相性《あいしょう》は最高だとわかった。

育った環境《かんきょう》のちがいなんて、まるで感じない。ジェニファーの日本語は、ぼくの英語以上にうまかったしね。


ぼくがジェニファーに結婚《けっこん》を申しこんだのは、出会って2週間目の日だった。

「来年、大学を卒業したらすぐに結婚《けっこん》しよう。」

「うれしい！」

ジェニファーは目を輝《かがや》かせたが、その美しい瞳《ひとみ》に影《かげ》がさす。

「でも、あなたのご両親は反対するでしょうね。わたしは一般庶民《いっぱんしょみん》よ。あなたの一族にはつりあわないでしょ？」

そう、じつはひとつだけ問題があった。ぼくには、親の決めた婚約者《こんやくしゃ》がいたのだ。

ぼくは、いわゆる「お金持ちのお坊《ぼ》っちゃま」である。

都心の一等地にある家は、近所の人に「お屋敷《やしき》」と呼《よ》ばれている。中庭にはテニスコートがあり、広いガレージにはドイツ製《せい》の車が3台並《なら》んでいる。

祖父母《そふぼ》や両親が親しくつきあう「友人」は有名会社の社長だったり、政治家《せいじか》だったり。なかでも、父さんが特に親しくしているのは大手総合《そうごう》商社Z《ゼット》物産の社長だ。

Z《ゼット》物産の社長にはぼくと同い年の一人娘《ひとりむすめ》がいて。

父さんたちは、ぼくが小さいころから「いずれ2人を結婚《けっこん》させよう」と勝手に話しあっていたんだ。

これまで適当《てきとう》に聞き流していて、反対を唱えなかったのは失敗だった。結婚《けっこん》を現《げん》実的《じってき》に意識《いしき》するどころか、真剣《しんけん》な恋《こい》をしたことがなかったからね。

「ジェニファー、心配しないで。ぼくはきみ以外の人と結婚《けっこん》するなんて考えていないんだから。そうだ。今度、M《エム》国際《こくさい》ホテルで父さんの誕生《たんじょう》パーティーがあるんだ。ぜひ来てくれよ。きみを家族や親せきに紹介《しょうかい》するいいチャンスだ。」

「わたしみたいな田舎娘《いなかむすめ》が一流ホテルのパーティーに出席するなんて、それこそ場ちがいじゃない？　あなた、わたしが行ったら知らんぷりしないでしょうね？」

「じょうだんじゃない。この世でジェニファーより美しい女性《じょせい》はいないよ！」

そして、父さんの誕生《たんじょう》パーティー当日。

ぼくは、ホテルの大広間の受付近くでジェニファーを待っていた。だれも知りあいがいないパーティーに来るのは勇気がいるからね。ぼくがしっかりいっしょにいてエスコートしないと、と思ってたんだが。

「おい、いつまで受付にはりついてるんだ。こっちへ来い！　Ｚ《ゼット》物産のお嬢《じょう》さんがいらしてるんだぞ。おまえの妻《つま》になるミカエさんだ。」

父さんに腕《うで》をつかまれ、ぼくの婚約者《こんやくしゃ》ということになってるミカエさんのところに引っぱっていかれた。Ｚ《ゼット》物産の社長夫妻《ふさい》とミカエさん、父さん、母さんとぼくが顔をならべたわけだが——当たり前のように結婚《けっこん》の話が進んでいくじゃないか。

このミカエさんは、ろくにしゃべったこともない男との結婚《けっこん》に疑問《ぎもん》を持っていないらしい。「ほら、２人ともっとくっついて」とひやかし半分に押《お》されても、むじゃきにほほ笑《え》みかけてくる。

そのとき——ぼくは会場の入り口に立ちつくしているジェニファーに気づいた。かざりけのない黒のワンピース姿《すがた》だけど、ジェニファーはだれよりも輝《かがや》いている。

悪いけど、ぼくには豪華《ごうか》なドレスを着こんだミカエさんよりもジェニファーの方がずっと美しく思える。軽く手をあげると、ジェニファーもぼくに気づいたようだ。

父さんは怒《おこ》るだろうし、もめるだろうが、自分の人生のことだ。勇気を出すぞ！ぼくが見つけたすばらしい女性《じょせい》を、堂々《どうどう》と紹介《しょうかい》するんだ！

ぼくはジェニファーに小さく手招《てまね》きをした。

しかし、ジェニファーはこっちに来なかった。いつのまにか彼女《かのじょ》の姿《すがた》は消え……。

しかも、このあとまったく連絡《れんらく》が取れなくなってしまったのだ。

ジェニファーが姿《すがた》を消し、この日以来、主人公と会おうとしなかったのはなぜだろうか。

解《かい》説《せつ》

原因《げんいん》は、主人公がパーティー会場で手招《てまね》きをしたことだ。手のひらを下にして、指をひらひら動かす「おいでおいで」のしぐさ。この動作は、アメリカやヨーロッパでは日本とは逆《ぎゃく》に「あっちへ行け」という意味なのだ。主人公は、ぜいたくなドレスに身を包んだ社長令嬢《れいじょう》のとなりに立っている。ジェニファーは彼《かれ》が「自分を招《まね》いたことを後悔《こうかい》して追いはらった」と思って会場を飛び出し、主人公をいっさい無視《むし》したというわけ。傷《きず》ついたジェニファーは緊急《きんきゅう》帰国してしまったが、主人公はアメリカまでジェニファーを追いかけていって誤解《ごかい》を解《と》いたという。主人公はあらためて両親を紹介《しょうかい》する機会をつくり、大学卒業後にめでたく結婚《けっこん》したのである。ジェスチャー(しぐさ)は必ずしも世界共通ではない。たとえば、ブルガリアなどでは「はい＝首を横にふる」、「いいえ＝うなずく」の意味だ。思わぬトラブルを招《まね》くことにもなるので、外国の人とコミュニケーションするときには要注意。「外国語ができなくても身ぶり手ぶりで伝わる」とはかぎらないのだ。

13

恐怖《きょうふ》のおばさん

理由→なぜ？

「ミッちゃん、日曜ヒマだったらマサコ姉さんの買い物の荷物持ちしてあげてくれない？　今、東京に来てててね、サニーサイド・ショッピングモールのバーゲンに行きたいって言うのよ。」

「いいよ。あそこのバーゲン、9割引《わりび》きとかもあるって評判《ひょうばん》だからあたしも行ってみたかったんだ。」

お母さんに言われて二つ返事でOK《オーケー》したのを、あたしは後悔《こうかい》していた。

他県に住んでるマサコおばさんに会うのは、ずいぶん久《ひさ》しぶりなんだけど。

こんなにガツガツした下品な人だったっけ？

あたしがマサコおばさんの本性《ほんしょう》を知らなかっただけ？

朝、Z《ゼット》駅で待ちあわせると。マサコおばさんは、ティッシュを無料で配ってる人のところに行って「1個《こ》だけ？　ケチねぇ。もっとちょうだいよ」とせびったりして、図々《ずうずう》しいことこの上ない。

それから、駅の売店でいきなり割《わ》りこんで買い物をしたのはビックリした。

このときは、たまたま前に待ってる人がいるのに気づかなかったのかなと思ったんだけど。

電車に乗るときに「わかっててやってる」と確信《かくしん》した。

電車のドアが開くと、まだ降《お》りようとしてる人がいるのに無理やり乗りこんでいく。それで、スタスタ走っていって空いてる席を確保《かくほ》。自分が座《すわ》ったとなりの席にバッグを置いて「ミッちゃん、ここよ、早く！　グズグズしないで！」って言うからまいっちゃった。

「あたしは立ってるからいいよ。」

って言ったら、悪びれもせずに「せっかく取っといたのに」だって。

周囲《しゅうい》の視線《しせん》が痛《いた》かったなぁ。

こんな調子でセール会場に着いたらどうなるんだろう。

下手《へた》すると、ほかのお客さんとバーゲン品を取りあってケンカになったりするかもしれない。

いっしょに来ちゃった以上は、しょうがない。

ひどいことにならないよう、あたしがしっかり見張《みは》らなくちゃ。

Q《キュー》駅で電車を降《お》りると——ここからは、会場行きの送迎《そうげい》バスに乗ることになってる。

ちょうどバスターミナルに「サニーサイド・ショッピングモール行き」の送迎《そうげい》バスが入ってきた。

バス停《てい》にはもう30人くらい並《なら》んでいる。小型《こがた》のバスだから、ギリギリ乗れるかどうか。詰《つ》めればなんとか乗れそうかな。

「マサコおばさん、1本あとのバスにする?」

一応《いちおう》聞いてみたけど、返ってきた答えは予想通りだ。

「だめよ、あれに乗らなきゃ! ノンビリしてたらいいモノは売れちゃうわよ!」

マサコおばさんはずんずん進み、なんとバスの行列の1番目の人の前に割《わ》りこもうとする。

「ちょっと、並《なら》んでるのよ!」

1番目に並《なら》んでいた女の人がマサコおばさんをにらむ。当たり前だ。

ああ、もう最悪すぎる。

現代《げんだい》日本で、こんなにマナーの悪い人っている!?

いくらおばさんとはいえ遠慮《えんりょ》してたらダメだ。ビシッと言わなきゃ。

「マサコおばさん! 割《わ》りこみはダメだよ!」

あたしはマサコおばさんの両肩《りょうかた》をガシッとつかんだ。

すると、マサコおばさんは意外にも素直《すなお》に引き下がったんだ。

行列の人たちに「あら～、ごめんなさいねぇ」と声をかける。マサコおばさんは急におとなしくなり、列のいちばん後ろについた。そして、あたしにこう言ったのだ。

「あたしとしたことが、とんだまちがいをやらかすところだったわ。ミッちゃん、もっと早く注意してくれなくちゃ！」

あたしはキツネにつままれた気分になった。

だけど——少しして、マサコおばさんの真意に気づいたんだ。

いちばんにバスに乗りたがったマサコおばさんが素直《すなお》に引き下がり、列の最後尾《さいこうび》に並《なら》んだのはなぜだろうか。

解説《かいせつ》

マサコおばさんは電車に乗るときも人を押《お》しのけて空席を確保《かくほ》したがるような人だ。そんな彼女《かのじょ》は1本でも早いバスに乗り、少しでも早くショッピングモールに到《とう》着《ちゃく》したいと考えた。だから送迎《そうげい》バスを見た瞬間《しゅんかん》、列に割《わ》りこんで「一番に」乗りこもうとしたのだが、それはまちがいだと気づいたのだ。バスに乗って席に座《すわ》り、あとからたくさんの人が乗りこんできたらどうなるか。そう、バスがショッピングモールに着いたとき、降《お》りるのが遅《おそ》くなってしまう。ショッピングモールに着いたらバスから「一番に」降《お》りるために、マサコおばさんは「最後に乗る」ことを選んだのである。

14

英雄《えいゆう》の船

疑問《ぎもん》↓結論《けつろん》？


昔むかしのこと。

「スキーピオー、そのいたんだ部分を切り取るんだ。慎重《しんちょう》にな。これは大事な船なんだから。」

「はい、親方。」

船大工の見習いであるスキーピオーは、親方の指示《しじ》を受けながら、おっかなびっくり手を動かしていた。親方がじっと見ているので、いつも以上に緊張《きんちょう》してしまう。

（たしかにこの船はよく手入れされている。でも、ずいぶんツギハギだらけだな。苦労して修理《しゅうり》するより、新しい船をつくった方がいいのに。）

すると、親方は彼《かれ》の心の中を読んだように言ったのだ。

「これは『テセウスの船』だ。」

「ええ⁉ この船にテセウス様が乗っていたんですか？」

テセウスは国民的な英雄《えいゆう》だ。海の神ポセイドンの息子ともいわれるテセウスは、アテナイ（古代ギリシャの都市。現在《げんざい》のアテネ）を首都とする国家を建設《けんせつ》した人物だ。テセウスのさまざまな活躍《かつやく》のなかでも有名なのは、クレタ島の怪物《かいぶつ》ミノタウロスを退治《たいじ》したことだ。その遠征《えんせい》のときに乗っていたのがこの船なのである。

「テセウス様はこの船をとても大切にしていた。板がいたんだら新しいものに取りかえてな……。テセウス様亡《な》きあとも、われわれ船大工はずっとこの船を修復《しゅうふく》し続けてきたんだ。名誉《めいよ》ある仕事に関われることを誇《ほこ》りに思え。」

親方は重々《おもおも》しく言った。

（そうか、テセウス様もこの柱にさわったのか……。だが、待てよ。）

英雄《えいゆう》の姿《すがた》を想像《そうぞう》しながら帆柱《ほばしら》をなでていたスキーピオーは、ふと気づいたのだ。

「でも、そんなに長い間、修理《しゅうり》をくり返したということは――テセウス様が乗っていたころの部品って一つも残ってないんじゃないですか？」

親方は目をパチパチさせた。

「う、うむ……。そりゃそうだろう。木はどうしたってくさってしまうからな。」

「じゃあ、今の船はもう別物なのでは？　この船は、テセウス様が乗っていた船とはいえないんじゃないでしょうか？」

「スキーピオー、なんてことを言うんだ！」

親方は怒《おこ》ったが――スキーピオーの言い分を打ち消す説明が思いつかず、困《こま》って歯ぎしりをしたのである。


スキーピオーは「部品がすべて入れかわっているから、もとの船とは別物」と言う。さて、これは「もとの船と同じ」といえるだろうか。

解説《かいせつ》

これは「テセウスの船」と呼《よ》ばれる有名な問い。ギリシャ神話に登場する英雄《えいゆう》テセウスの伝説をもとに、古代ギリシャの哲学者《てつがくしゃ》プルタルコスが考え出した問いだ。いろいろな人が議論《ぎろん》してきたが、じつは答えはない。「答えがない」のが「答え」なのである。

部品が全部入れかわってしまっていれば、「物」としてはたしかに「別物」かもしれない。だが、「構成《こうせい》する物」が変わったからといって、「別物」と言いきれない例もたくさんある。たとえば、メンバーが脱退《だったい》したり新規《しんき》加入したりして入れかわっていくアイドルグループはどうだろう? 人間の体を構成《こうせい》する細胞《さいぼう》だって日々《ひび》新しいものに入れかわっているが、「もとの自分」と別人ではない。

「問い」の中には、ただ一つの答えを出すだけでなく「その問題について柔軟《じゅうなん》に考える」ことが目的のものもある。考えることを楽しみ、いろいろな答えをみちびき出してみよう。

15

結果は1つ

秘策《ひさく》↓なぜ？

今から500年ほど昔、ドイツにて。

「よう、ヘルムート。」

ヘルムートが後ろをふり向くと、イザークがニヤニヤ笑っていた。

「どうした、イザーク。ばかにきげんがよさそうじゃないか。」

「うん。じつはいい物を手に入れちまってな。」

イザークがうすよごれた皮のマントの内側から取り出した、ぶあつい本の表紙には、『魔女《まじょ》に与《あた》える鉄槌《てっつい》』と書かれていた。

この時代、ヨーロッパの国々《くにぐに》では「魔女狩《まじょが》り」が盛《さか》んに行われていた。天気の悪い日が続いて農作物がとれなかったり、疫病《えきびょう》が流行したり――世の中が不安に包まれると、人々《ひとびと》はそれを魔女《まじょ》のせいということにした。「魔女《まじょ》」を死刑《しけい》にすれば、万事うまくいくようになると信じていたのである。

そのためには、魔女《まじょ》を見つけ出さなくてはならない。人々《ひとびと》はいろんな言いがかりをつけて――たとえば、体にあやしげなホクロやアザがあるというくらいの理由で、隣人《りんじん》を「魔女《まじょ》」だと告発《こくはつ》した。魔女《まじょ》の疑《うたが》いをかけられた人たちは、専門《せんもん》の「魔《ま》女狩《じょが》り師《し》」によって取り調べを受けることになる。

ヘルムートとイザークは、この魔女狩《まじょが》り師《し》であった。

魔女《まじょ》かどうかを調べるには、いろいろな方法がある。

よく行われたのは「悪魔《あくま》の印」であるホクロやアザに針《はり》を刺《さ》すことだ。もし、魔《ま》女《じょ》なら、どんなに深く針《はり》を刺《さ》しても血が出ないし、痛《いた》みも感じないのだ。

もちろん、そんな人間がいるはずはないのだが、魔女狩《まじょが》り師《し》たちは何がなんでも魔女《まじょ》を見つけなければならない。そこで彼《かれ》らは、はだに押《お》し当てると針《はり》の部分が引っこむように細工したインチキ針《はり》を使って「血が出ないから、おまえは魔女《まじょ》だ！」とやっていたのである。

だが、こういうインチキはなかなか手がかかるし、バレたら自分の身が危《あや》うくなる。一方、彼《かれ》らは魔女《まじょ》を処刑《しょけい》できなければ収入《しゅうにゅう》ゼロだ。

「もっとかんたんに魔女《まじょ》を判定《はんてい》できる方法があればいいのに」と考えていた魔女狩《まじょが》り師《し》たちが飛びついた――『魔女《まじょ》に与《あた》える鉄槌《てっつい》』という本が登場したのはそんなおりだ。

イザークは、本をパラパラめくりながらヘルムートに自慢《じまん》した。

「すごいんだぜ、この本。まずは、魔女《まじょ》がどんなヤバいことをやらかすかが書いてあってな……。それから、魔女《まじょ》を見つけ出す方法や、拷問《ごうもん》や処刑《しょけい》のやり方がめちゃくちゃくわしく書いてあるんだ。オレたちが知りたかった情報《じょうほう》がバッチリ一冊《さつ》にまとまってる。」

ヘルムートもこの本のうわさは聞いたことがあった。かつては本といえば一冊《さつ》ずつ手書きで書き写したものだった。だが、このころ印刷技術《ぎじゅつ》が発明されて本を大量生産できるようになっていた。そうして、この『魔女《まじょ》に与《あた》える鉄槌《てっつい》』はたくさん印刷され、ヨーロッパ諸国《しょこく》に出回ったのである。

「なあ、イザーク。オレにもその本を見せてくれよ。」

「いいけど、タダってわけにはいかないぜ。この本、高かったんだからな。」

「本当に役に立つなら金ははらうさ。」

イザークはうなずいて、ページを開く。

「ほら、ヘルムート。ここを読んでみろよ。わざわざ針《はり》で刺《さ》すマネをしたりしなくてもさ、質問《しつもん》するだけで『魔女《まじょ》かどうかを判定《はんてい》する方法』がいくつものってるぞ。」

「質問《しつもん》するだけだって？」

ヘルムートは疑《うたぐ》り深げな顔をした。手軽なのはいいけれど、説得力《せっとくりょく》に欠ける判定《はんてい》法《ほう》では困《こま》る。

「つまり……こうさ。魔女《まじょ》の疑《うたが》いがあるヤツに『おまえは魔女《まじょ》の存在《そんざい》を信じるか？』と聞くだけなんだけどな。相手がどう答えても、死刑《しけい》にすることができる。」

「そりゃ、どういう理屈《りくつ》なんだ？」

目を白黒させるヘルムートに、イザークは手をつき出した。

「しかけが知りたきゃ、金をはらいな！」

「わかった、ほらよ！」

ヘルムートはイザークに金をつかませた。

（なるほど――これは金をはらう価値《かち》があったな。）

ヘルムートは夜を徹《てっ》して、その本を読みふけったのである。


魔女《まじょ》の疑《うたが》いをかけられた者は、魔女《まじょ》の存在《そんざい》を「信じない」と答えても「信じる」と答えても死刑《しけい》になった。この本には、どういう理屈《りくつ》が書かれていたのだろうか。

解《かい》説《せつ》

魔女《まじょ》の存在《そんざい》を信じないと答えた場合は、「魔女《まじょ》を退治《たいじ》しようとする我々《われわれ》を否定《ひてい》するのか」と言って殺《ころ》し、存在《そんざい》を信じると答えた場合は「なぜ本当にいると知っているのだ、おまえ自身が魔女《まじょ》だからだな」と言って殺《ころ》した。実在《じつざい》した『魔女《まじょ》に与《あた》える鉄槌《てっつい》』には、このような「理屈《りくつ》」がたくさんのっていたそうだ。

「そんなの、理屈《りくつ》じゃなくて『へ理屈《りくつ》だ』」と思ったら、あなたの感覚は正しい。

このように、筋《すじ》が通っていない理屈《りくつ》を「詭弁《きべん》」という。相手をだますために考え出されたごまかし、ウソいつわりの論理《ろんり》だ。「魔女狩《まじょが》り」では何万人もの人たちが、こんないい加減《かげん》なインチキのために死刑《しけい》にあっている。詭弁《きべん》に惑《まど》わされることのないよう、他人の言うことを冷静に分析《ぶんせき》する習慣《しゅうかん》をつけよう。インチキを見破《みやぶ》ることのできる思考力は、身を守る武器《ぶき》になるのだ。

16

死の毒《どく》りんご

失敗→なぜ？

「あそこに何か実がなってるぞ。」

その木を先に見つけたのはホセだった。

ホセとロベルトは、まわりを警戒《けいかい》しながら島を歩き回っていた。２人は海賊《かいぞく》である。

彼《かれ》らが海賊船《かいぞくせん》で出航《しゅっこう》してから１年以上がすぎていた。出発したときは全部で15人。しかし、今では船長とホセ、ロベルトの３人だけになっていた。ほかの海賊《かいぞく》連中と戦いをくり広げる中で命を落とした者もあれば、仲間割《わ》れで激《はげ》しいケンカになって死んだ者もいる。なにしろ、海賊《かいぞく》はあらくれ者の集まりである。

さらには――疫病《えきびょう》のために何人かの仲間が帰らぬ人となっていた。
ホセとロベルトも病気で弱ってはいたものの、歩くくらいの元気はあった。そこで、船長を船に残し、2人で島を探索《たんさく》することにしたのだ。

ホセは足を早めてその木に近寄《ちかよ》った。わさわさとしげる葉の間に、手のひらにおさまるくらいの緑の実がたくさんなっている。

近づくと、ふんわりと甘《あま》い香りがした。

だが、そのときホセはハッと気づいたのだ。

（これは……「死の毒《どく》りんご」じゃないか？）

ホセは、実をもぎ取ろうとのばした手を止めた。

それは、彼《かれ》がこの海賊船《かいぞくせん》に加わる前――別の船の乗組員だったころの話だ。仲間がどこかの島で取ってきた緑の果物を食べて、何時間も苦しみのたうち回ったのだ。なんとか回復《かいふく》したその男によれば、味はとても甘《あま》くておいしいという。だが、すぐに口の中がピリピリしびれはじめ、焼けつくような激《はげ》しい痛《いた》みが広がり、のどがしめあげられるようにはれあがった。あとから聞いたところでは、この実を食べて死んだ人もいるという。

ホセは一瞬《いっしゅん》のうちに考えをめぐらせた。

(ロベルトと船長がこれを食べて死ねば――今、船にあるお宝《たから》は全部オレのものになる。)


ロベルトは、ホセが緑の実を食べようとしないのを不思議に思った。

「ホセ、食べないのか？　おいしそうな実じゃないか？」

すると、ホセはもっともらしい顔で答えたのである。

「これはすごく甘《あま》いんだ。オレは、甘《あま》い果物ってのが苦手でね。食べると気持ちが悪くなっちまうんだ。」

ロベルトは、ホセを疑《うたが》いの目でながめた。

(変だな。ふだんは甘《あま》いものを食べてるくせに。)

そこへ、鳥がバタバタと飛んできた。鳥たちは木のまわりを飛び回っていたが、実には目もくれずに飛び去っていく。このとき、ロベルトは確信《かくしん》した。

(甘《あま》い香りの実があれば、鳥がつつくのがふつうだ。こいつらが食べないってことは、きっと毒《どく》があるんだ。そして、ホセはこれをオレに食べさせようとしているんじゃないか?)

ホセは、ロベルトが自分のたくらみに気づいているとは思いもしない。

「オレに遠慮《えんりょ》しないで食えよ。オレは何か別の食べ物を探《さが》すからさ。」

ロベルトは困《こま》ってしまった。ここで「毒《どく》があるんじゃないのか?」と言い出して、ケンカになるのはうまくない。

「でも、オレは今、果物より水を飲みたいな。」

ホセは心の中で舌打《したう》ちをした。

「よし、オレは川を探《さが》してくるよ。おまえはここで休んでていいよ。」

ホセは、木おけを手に歩き出そうとした。ロベルトを一人でほうっておけば、そのうちに気が変わって木の実を食べるかもしれないと思ったのだ。

ところが、そのとき。いきなりバラバラと音を立てて大つぶの雨が降《ふ》りはじめた。

「ホセ、よかったな。川に行く手間がはぶけたじゃないか！」

「ああ……ホントだな。」

2人は木の下に座《すわ》って雨宿りをしながら、手おけに雨水がたまるのを待つことにした。

しばらくたって。なかなか帰ってこないホセとロベルトを探《さが》しに来た船長は、木の下に倒《たお》れている2人を見つけてびっくりしたのである。


ホセはこの実に毒《どく》があることを知っていたし、ロベルトはそれを疑《うたが》っていた。2人の身に何が起こったのだろうか。

解説《かいせつ》

これは、南フロリダやカリブ海の島などに見られるマンチニールという木の実の話。現在《げんざい》では、通りかかった人が食べてしまわないように厳重《げんじゅう》な注意書きがされているそうだが、かつては多くの人が被害《ひがい》にあったという。

マンチニールの実は緑色で、小さな青リンゴのよう。香りがよく、食べるととても甘《あま》いが、すぐに口の中やのどがはれ、激《はげ》しい痛《いた》みが起こる。胃腸《いちょう》がただれ、出血することもあるそうだ。マンチニールは果実だけでなく、葉、幹《みき》、樹液《じゅえき》のすべてに猛毒《もうどく》がある。ホセとロベルトは木の下に座《すわ》っていたが、雨を伝い、葉から溶《と》け出した猛毒《もうどく》を浴びてしまったのである。幸いに2人は回復《かいふく》し、一命をとりとめた。果実を食べても死ぬ例は少ないそうだが、体が弱っている場合はわからない。近づくだけでも危険《きけん》な木もあると覚えておこう。木を切り倒《たお》そうとすれば樹液《じゅえき》に触《ふ》れることになるし、燃《も》やすと煙《けむり》が目や呼吸器《こきゅうき》に大きいダメージをもたらす。マンチニールはとても恐《おそ》ろしい木なのである。

17

ベリンガー教授《きょうじゅ》の化石コレクション

冗談《じょうだん》→事件《じけん》？

今から300年ほど昔、ドイツのある町にて。

ヴュルツブルク大学のベリンガーは医学の教授《きょうじゅ》であり、有名な化石マニアだった。

化石とは、生物などの死骸《しがい》が砂《すな》やどろにうもれ、何万年、何億年という時間をかけて地層《ちそう》の中で骨《ほね》の成分が石になったものだ。また、恐竜《きょうりゅう》の足あとや、貝がら、木の葉のあとだけが残った化石もある。地層《ちそう》の中から見つかる化石は、地球の歴史《れきし》を物語る証拠品《しょうこひん》である。

ベリンガー教授《きょうじゅ》は大学の研究室で、よく化石を学生たちに披露《ひろう》したものだ。

「どうだ。興味深《きょうみ》いだろう。神様が手がけた、このみごとな細工をよく見るのだぞ。」

この当時、「化石」がどうやってできたかを理解《りかい》している人もいたけれど、それはまだ「一つの説」にすぎなかった。多くの人々《ひとびと》はベリンガー教授《きょうじゅ》と同じように「化石は神様が作った石」「神様が生き物の形を作ったが、生命が育たなかったもの」などとする説を信じていたのである。

ともかく、ベリンガー教授《きょうじゅ》は、化石収集《しゅうしゅう》の第一人者として尊敬《そんけい》されていた。そのせいか彼《かれ》はやたらと態度《たいど》がでかく、えらそうなのである。

同じ大学に勤《つと》めているロデリッヒ教授《きょうじゅ》と図書館司書のエックハルト先生は、そんなベリンガーをよく思っていなかった。

「なあ、ベリンガーのヤツをちょっとからかってやらないか？　いい考えがあるんだ。ニセの化石を作るんだよ。」

ベリンガーは自分でやとった若者《わかもの》たちに、近くの山地で化石採集《さいしゅう》をさせていた。

「その場所に、ニセの化石をうめておくってわけだな。そりゃ、おもしろい！」

2人はさっそく山地からとってきた石灰岩《せっかいがん》をけずり、せっせとニセの化石を作り始めた。

若者《わかもの》たちが目新しい化石を見つけてくると——ベリンガー教授《きょうじゅ》は狂喜《きょうき》したのなんの。

「おお、これはめずらしい！　この化石はクモ、こっちはカエルだ。カタツムリ、トカゲにミミズもあるぞ！」

ロデリッヒとエックハルトは、ベリンガーがみんなに化石を見せびらかしているのを遠くからながめてはクスクス笑っていた。

「あいつ、ニセモノだってまったく気づいてないぜ。」

さらに調子に乗った2人は、月や太陽、星を彫《ほ》りつけたニセ化石を作った。「これならさすがにバレて、ベリンガーが怒《おこ》り出すだろう」と思っていたのだが——しかし、ベリンガー教授《きょうじゅ》はいつまでたってもニセモノだと気づかない。

2人は逆《ぎゃく》にイライラし、そのうち心配になってきた。

そしてある日、2人はベリンガー教授《きょうじゅ》の元を訪《おとず》れて「これは自分たちが作ったニセモノだ」と告白《こくはく》したのである。

ところが、ベリンガーの反応《はんのう》は予想外のものだった。

「何を言ってるんだ？　これは、本物の化石だ。どんな証拠《しょうこ》があってきみたちが作ったなんてデタラメを言うんだ？」

ロデリッヒとエックハルトは顔を見合わせた。

「ほら、よく見てくれよ。ここにノミ（工具の一種）で削《けず》ったあとがあるだろ？人が作ったんじゃなければ、こんなあとはできないはずだ。」

それでもベリンガーは聞く耳を持たない。

「神様だってノミくらい使うだろうさ。」

ベリンガーは2人をにらみつけた。

「ロデリッヒくん、エックハルトくん。きみたちは、わたしの名声をねたんでいるんだろう。それで、このめずらしい化石がニセモノだなんて言いがかりをつけてきたんだな。これは、わたしの名誉《めいよ》を傷《きず》つける行為《こうい》だ。裁判所《さいばんしょ》に訴《うった》えて、決着をつけてやる！」
ロデリッヒとエックハルトは、ベリンガーが去っていく背中《せなか》をぼうぜんと見つめるばかりだった。

ベリンガーは、「自分の持っている化石をニセモノだと中傷《ちゅうしょう》し、自分の名誉《めいよ》を傷《きず》つけた」と2人を訴《うった》えた。裁判《さいばん》はどっちが勝ったのだろうか。

裁判《さいばん》に勝ったのはベリンガー。ロデリッヒとエックハルトは名誉毀損《めいよきそん》で罪《つみ》に問われ、大学での職《しょく》を失ってしまった。

一方、裁判《さいばん》に勝ったとはいえベリンガー教授《きょうじゅ》もニセモノを本物と信じこんでいたことが広まって大はじをかいてしまった。ただし、彼《かれ》は悪いことは何もしていないし、もともと化石の専門家《せんもんか》ではないので、騒動《そうどう》のあともかわりなく医学教授《きょうじゅ》を務《つと》めあげたそうだ。人生には、心の強さも必要である。そうこうするうちに「化石は自然に形成されたもの」という説は世に広まり、常識《じょうしき》となっていったのだ。

これは、実話をもとにした話。ちなみにベリンガーは裁判《さいばん》を起こす以前に、化石コレクションをスケッチした図案集を出版《しゅっぱん》している。これにはニセモノの化石の絵もしっかり掲載《けいさい》されているそうだ。

18

侵入禁止作戦《しんにゅうきんしさくせん》

危機《きき》→対処《たいしょ》？

あっと思ってブレーキをかけようとしたときには、もう間にあわなかった。

あーあ、やっちまったか……。

「ただいま動物と接触《せっしょく》したため急停車《きゅうていしゃ》いたしました。お客様にはたいへんご迷惑《めいわく》をおかけします。車両の安全確認《かくにん》を行いますので今しばらくお待ちください。」

「おつかれさまです。」

事務所《じむしょ》にもどると、新入社員のカツマタくんがコーヒーを差し出してくれた。その表情《ひょうじょう》からして、オレが運転していた電車がシカと衝突《しょうとつ》したことをもう知ってるんだろう。顔から「その話を聞きたくてたまらない」という気持ちがにじみ出ている。なにしろカツマタくんは1週間前に配属《はいぞく》になったばかりだしな。

「シカとは何度も衝突《しょうとつ》してるけどいやなもんだね。かわいそうでしょうがないよ。」

この路線は山の近くを通っていて、野生のシカが線路内に入って電車と衝突《しょうとつ》する事故《じこ》にずっと悩《なや》まされている。

「何度も……ですか。もちろん避《さ》けようがないんでしょうね。」

自分もいずれシカに出くわすことになるのをリアルに想像《そうぞう》したのか、カツマタくんは不安げな面持《おもも》ちだ。

「シカは電車が危《あぶ》ないってわからないんですかね？」

「シカは線路をなめに来てるんだよ。電車が走るとレールがけずれるだろう？　鉄の粉《こな》をなめて、鉄分を補給《ほきゅう》してるらしいんだ。」

「へぇ、シカって頭いいんですねぇ。」

カツマタくんは感心したように言った。

「シカはかわいそうだし電車はおくれるし、オレたちも困《こま》るし。真剣《しんけん》に対策《たいさく》を考えないとなぁ。」

「線路のまわりにさくか有刺鉄線《ゆうし》をはりめぐらすとか？」

「距離《きょり》が長いから、それはたいへんすぎるよ。」

「じゃあ、シカの天敵《てんてき》の等身大パネルを設置《せっち》するのはどうです？　ライオンとかの。」

「その程度《ていど》でだまされるか？　まあ、まさか本物のライオンを連れてくるわけにはいかないけど……。」

オレは笑ったが——このカツマタくんのひとことは大きなヒントになった。

近場の動物園に協力してもらえることになり、オレたちの「シカ侵入禁止《しんにゅうきんし》作戦」は成功をおさめたのである。


主人公たちが、シカが線路内に入らないようにするために行った対策《たいさく》とはどんなものだろうか。これにはライオンが関係している。

解《かい》説《せつ》

主人公たちは動物園でライオンのフンを分けてもらい、フンを水に溶《と》いたものを線路にまいた。すると、においがなくなるまでの約3か月ほどは衝突事故《しょうとつじこ》がゼロになったのだ。多い年はその路線だけで年間に数百件《けん》もの事故《じこ》があったというから、驚異的《きょういてき》な効果《こうか》といえる。シカたちは実際《じっさい》にライオンに遭遇《そうぐう》したことはないが、天敵《てんてき》のにおいをかぎわける本能《ほんのう》が備《そな》わっていたのだ。

これは実話をもとにした話。シカをはじめとする動物と電車の衝突事故《しょうとつじこ》は日本各地で問題となっており、各地でシカなどがきらう薬剤《やくざい》の開発研究が行われている。研究によると、ピューマやチーターのフンに比《くら》べ、ライオンのフンの効果《こうか》がとびぬけて高かったそうだ。やはり「百獣《ひゃくじゅう》の王」と呼《よ》ばれるだけのことはある！

19

殺《さつ》人《じん》未満

運動↓理由？


「あんたたち、今朝の新聞を見た？」

《レモン》が言うと、《チェリー》は待ってましたという顔で、バッグの中から新聞を取り出した。

「この事件《じけん》のことでしょう？　70歳《さい》の女性《じょせい》が、夫の食事に少しずつヒ素《そ》を盛《も》って中《ちゅう》毒死《どくし》させたっていう。」

《メロン》はため息をついた。

「この女の人ったら、バカよね。少しずつ毒《どく》を盛《も》って体を弱らせるなら、自分のしわざだってバレないと思ったんでしょうね。現代《げんだい》の科学の力をナメちゃいけないわ。」

《チェリー》も深くうなずいた。

「そうよ。ああ、あたしたちが彼女《かのじょ》の知りあいだったら、こんな早まったまねをしないようアドバイスしてあげたのに。」

《レモン》《チェリー》《メロン》と名乗る3人の老婦人《ろうふじん》たちは、毎週、公園のかたすみのベンチで秘密《ひみつ》の会合を開いている。3人の呼《よ》び名は、もちろん本名ではない。彼女《かのじょ》たちは、韓国《かんこく》の俳優《はいゆう》パク・サンウの熱狂的《ねっきょうてき》なファンでインターネット上で知りあった。

3人は「夫が先に死んだらパク様と結婚《けっこん》したい」という夢《ゆめ》を語りあい――その望みをかなえるための研究会を開いているのである。

その名も、「夫をゆるやかに死に近づける会」。

彼女《かのじょ》たちは「自分の手で殺人《さつじん》を犯《おか》すなんてバカげたことだ」という考えで一致《いっち》していた。

3人も、その夫たちもそろって80代である。夫たちは心臓病《しんぞうびょう》や高血圧《こうけつあつ》など、高齢《こうれい》者《しゃ》に多い病気をわずらっており、脂肪分《しぼうぶん》や、糖分《とうぶん》や塩分をひかえるように医者から指導《しどう》されている。

そこで、彼女《かのじょ》たちが考えついたのは、食事に手を加えて夫の健康状態《じょうたい》を悪化させることなのだ。これなら、もし食事が原因《げんいん》で夫の病気が悪くなったとしても「殺人《さつじん》」には当たらないはずだから。

「あたしはね、今朝、あいつのシチューにバターをたっぷり入れてやったわ。もともと油っこい料理が大好きなんですからね。おいしそうに食べてたわ。」

《チェリー》が得意《とくい》そうに言うと、《メロン》も続ける。

「あたしは、夫が使ってる低カロリーの甘味料《かんみりょう》の中身を、全部ふつうの白砂糖《しろざとう》に変えたのよ。本人は全然気づいてないの。」

《チェリー》と《メロン》はうれしそうにほほ笑《え》みあったが、《レモン》は一人、顔をくもらせている。

「《レモン》、どうしたの？　あなたはどんな工夫をしているか教えてちょうだいよ。」

すると、《レモン》は言ったのだ。

「うちの夫ったら、最近お医者さんに何か軽い運動をするようにすすめられたのよ。これ以上太ると、心臓《しんぞう》に負担《ふたん》がかかるから危険《きけん》だって言われて。本人もやる気になってるみたい。健康になって長生きする気満々《まんまん》なのよ。」

次の週の会合に《レモン》が現《あらわ》れなかったので、《チェリー》と《メロン》は、彼女《かのじょ》はこの会からぬけたのだと思っていた。

しかし、その翌週《よくしゅう》には《レモン》は意気ようようとやって来て言ったのである。

「この間は来られなくてごめんなさいね。ずいぶんいそがしかったのよ。夫にゴルフをやらせることにしたから、ゴルフの道具やウェアを見つくろうのに走り回っていたの。」

《レモン》は、目をキラキラさせていた。

その瞳《ひとみ》には、新しい試みを始めた人に特有のいきいきとした光が宿っている。

「あたし、あれから一生《いっしょう》けん命《めい》いろいろ調べたの。それで、夫にやらせるならゴルフが一番だってわかったの。太った老人がいきなり激《はげ》しい運動をするなんて無理でしょう？　夫も『ゴルフなら続けられそうだ』って乗り気なの。ゴルフクラブのセットは高かったけど、思い切ってプレゼントしたのよ。あなたたちも、夫にゴルフをすすめるといいわ。」

《チェリー》は《メロン》と目をあわせてから、口を開いた。

「《レモン》、あなたは変わったのね。この会からぬけるつもりなの？」

すると、《レモン》はにっこりほほえんだのだ。

「まさか。わたしは、何ひとつ変わってないわよ。」

《レモン》は、どんなつもりで夫にゴルフをすすめることにしたのだろうか。

《レモン》はいろいろ調べた結果、ゴルフはプレー中の突然死《とつぜんし》が多いスポーツだと知ったのである。彼女《かのじょ》は「夫をゆるやかに死に近づける会」の仲間であることをやめたわけではなかったのだ。誤解《ごかい》のないように言っておくが、ゴルフは危険《きけん》なスポーツではない。プレー中の突然死《とつぜんし》が多いのは、突然死《とつぜんし》の可能性《かのうせい》があるような――健康体とはいえない中高年層《そう》が手を出しやすいためである。

ゴルフは激《はげ》しいスポーツではないが、緊張《きんちょう》する場面が多く、血圧《けつあつ》が上がりやすい。ホールにねらいを定め、息を止めてかまえるのも非常《ひじょう》に危険《きけん》だそうだ。また、早朝からコースを回る場合は、睡眠不足《すいみんぶそく》になりがち。寝不足《ねぶそく》かつ準備《じゅんび》運動も不足の状態《じょうたい》で、いきなりフルスイングをすると心拍数《しんぱくすう》が急に上がって、心臓《しんぞう》に負担《ふたん》がかかってしまう。《レモン》に事情《じじょう》を聞いて、仲間の2人も夫にゴルフをすすめることにした。だが、3人の夫たちにとっては幸いにも、ゴルフは健康状態《じょうたい》をよくする役割《やくわり》を果たしたようである。

20

13日の金曜日

失敗→なぜ？

今日は13日の金曜日。

オレは迷信《めいしん》深いほうじゃないが、カレンダーを見たときに何かイヤな予感がしたんだ。あとになって、その直感を信じるべきだったと思ったが——。

オレはヨーロッパを拠点《きょてん》とする犯罪《はんざい》組織《そしき》の一員だ。オレたちはジョーという男と取引をした。盗品《とうひん》の宝石《ほうせき》に対してジョーはかなりの代金を振《ふ》りこんだ。しかし、オレは宝石《ほうせき》を受け渡《わた》す約束を破《やぶ》ってしまった。というのも、オレたちはマヌケなことにニセモノの宝石《ほうせき》をつかまされていたんだ。目のこえたジョーは、あれを見たら一目でニセモノと見ぬくだろう。宝石《ほうせき》を渡《わた》せないなら、金を返せばいいと思うだろう？　しかし、うちの組織《そしき》は金に困《こま》っていて、ジョーが振《ふ》りこんだ金はあっという間に消えていた。

　というわけで、オレのボスが考えた作戦はこうだ。

「なんとかしてジョーを遠くに追っぱらうんだ。その間にオレたちも国外逃亡《とうぼう》する。ジョーに見つからないような田舎《いなか》に身をかくして逃《に》げ切るんだ。」

　待ちあわせたF《エフ》空港のカフェでオレを見つけると、ジョーはすぐに近づいてきてドスのきいた低い声でささやいた。

「例のものは？　早く出せよ。」

　オレは、ジョーにイタリア行きの航空券《こうくうけん》を渡《わた》す。

「わけあって、現物《げんぶつ》は今イタリアにある。イタリアに着いたらこの飛行機《ひこうき》に乗っている人物が案内する。ただし機内で話しかけてはダメだ。空港に着くまで待て。」

「ずいぶん手がこんだ渡《わた》し方をするんだな。その人物ってのは？」

「17列のA《エー》席に座《すわ》っている。」

もちろん、これは出まかせだ。知らないだれかに迷惑《めいわく》がかかるが、しょうがない。

「オレは25列のC《シー》席か。で、相手は17列のA《エー》席にいる、と……。」

ジョーは、カフェの窓《まど》から外をながめた。

「そう、あれだ。」

オレは機体に「イタリア・ローマ航空《こうくう》」と書かれた旅客機《りょかっき》を指さす。ジョーがあれに乗って飛び立ってくれればこっちのものだが。

ジョーは鋭《するど》い目つきでオレをにらむと、航空券《こうくうけん》をにぎりつぶしたのだ。

「だまそうったってそうはいくか。あの旅客機《りょかっき》に17列は存在《そんざい》しねえぞ！」


ジョーは、その航空機《こうくうき》に「17列」は存在《そんざい》しないという。ジョーが主人公のウソを見破《みやぶ》った理由を推理《すいり》してほしい。

解《かい》説《せつ》

ジョーは、その旅客機《りょかっき》に「17列」が存在《そんざい》しないことを知っていたのである。イタリアでは「17」は不吉《ふきつ》な数字とされており、ホテルの部屋番号や航空機《こうくうき》の列、席には使わない場合があるそうだ。イタリアでは墓石《はかいし》に「ＶＩＸＩ」というアルファベットがきざまれるが、これはラテン語で「わたしは生きることを終えた」の意味。文字の順番を「ＸＶＩＩ」と入れかえると、ローマ数字で「17」と読めるからだ。

このように縁起《えんぎ》が悪いといわれる数字のことを「忌《い》み数《かず》」という。日本では「4（死）」、「9（苦）」など。欧米《おうべい》で「13」が避《さ》けられる理由は諸説《しょせつ》あるが、キリストを裏切《うらぎ》った弟子《でし》のユダが「キリストを囲《かこ》む最後の晩餐《ばんさん》で13番目の席にいたから」という由来が有名だ。

ウソを見破《みやぶ》られた主人公はジョーに必死で命ごいをしたが、その後どうなったかは不明である。ちなみに「イタリア・ローマ航空《こうくう》」という社名は架空《かくう》のものだ。

21

赤の疑《ぎ》惑《わく》

発症《はっしょう》↓なぜ？

「ヤエカですけど……入ってもいい？」

カーテンの向こうから声がした。あたしがベッドのそばのタカシくんにうなずくと――タカシくんはサッと立ち上がってカーテンを開ける。

「リミ、だいじょうぶ？　びっくりしちゃった。『妻《つま》がマカロン食べて倒《たお》れたんです！』ってどなってる人がいるなぁと思ったらタカシさんなんだもん。」

「はずかしいなぁ、もう。」

あたしがここに運びこまれたのはほんの2時間ほど前。友人のヤエカがこの病院に勤《つと》めてるのは知ってたけど……わざわざ様子を見に来てくれるなんて。っていうか、タカシくんが大騒《おおさわ》ぎしたせいで気づいたのか。

「状況《じょうきょう》を説明しなきゃと思って。パニックになってつい大声を出してしまってすみません。」

タカシくんは頭をかいた。

「だれだってあわてますよ。でも、タカシさん、えらいですよ。ちゃんとマカロンの原材料名が書いてある箱を持ってきてくれたでしょ？」

「どう考えても、これが原因《げんいん》だと思ったんで。」

あたしは点滴《てんてき》の針《はり》が刺《さ》さっていない方の手で、そっとくちびるにさわってみた。注射《ちゅうしゃ》がきいたんだなぁ。はれは引いてるっぽい。それにしても、くちびるガサガサだなぁ。これはもとからだけど。

「本当にびっくりしちゃった。わたし、これまで食物アレルギーなんてまったくなかったんだよ。それがアナフィラキシーショックだなんて。」

アナフィラキシーショックとは食物アレルギーの重いやつだ。じんましんが出たり、口の中やのどもひどくはれて、呼吸困難《こきゅうこんなん》になったり、重症《じゅうしょう》の場合は、処置《しょち》がおそいと死んでしまうこともあるって、話には聞いたことある。今日は土曜日。会社の同僚《どうりょう》が誕生日《たんじょうび》プレゼントにくれたマカロンを食べてたんだよね。そしたら、急に体がかゆくなってきて、口の中やまぶたがはれてきて。あっという間に息が苦しくなって——そこから先はよく覚えてない。タカシくんがすぐに救急車《きゅうきゅうしゃ》を呼《よ》んでくれて助かった。一人だったら危《あぶ》なかったかも。

「マカロンの何がいけなかったのかな？」

「ちゃんとした説明は主治医からするけど……マカロンの着色料に使われてるコチニールが原因物質《げんいんぶっしつ》じゃないかと思うって。」

「コチニール？」

聞き返すと、ヤエカが説明してくれた。

「うん、コチニールっていうのは、コチニールカイガラムシっていう虫から抽出《ちゅうしゅつ》されてる赤い色素《しきそ》なの。」

「虫？　気持ち悪〜い！」

「いやいやいや。コチニールってふつうにいろんなものに使われてるよ。ソーセージとか、カニカマとか明太子とか。」

「やっぱり着色料って体によくないんだね。」

「そうじゃないよ。ずっと昔は体によくない着色料も多かったけど。コチニールは安全な天然色素《しきそ》で、医薬品や化粧品《けしょうひん》にも使われてるくらいだから。それと、かんちがいしないでね。アレルギーっていうのは、無害なはずの食物に対して体が過敏《かびん》に反応《はんのう》しちゃうことだから。」

「そうだよ。このマカロンが悪いわけじゃない。リミちゃん、今までにもここのマカロン、何度も食べてるじゃん。ぼくだって食べてるし。」

そう。原因《げんいん》はわたしの体にあるってことだ。わたしはため息をついた。

「でも、原因《げんいん》はコチニールなんでしょ？　ここのお店のマカロン、好きだったけど。この赤いベリー味のはもう一生食べられないんだね。」

ところが、ヤエカの言葉は意外なものだった。

「そのうち食べられるようになるかも。くわしくは検査《けんさ》しないとわからないけど。」

「どういうこと？」

「アナフィラキシーを起こす引き金になったのはマカロンだとしても、根本的な問題は、コチニールを毎日のように体に取りこんでたせいだと思うんだ。」

「え、カニカマや明太子なんてそんなにしょっちゅう食べないよ。」

「原因《げんいん》は食べ物とはかぎらないんだ。コチニールでアレルギーを起こしてる患者《かんじゃ》さんってほとんど女の人ばっかりでね。」

ヤエカの言葉にあたしは首をひねった。

食べ物とはかぎらない――赤い色のもの？

そのとき、タカシくんが突然《とつぜん》声をあげたんだ。

「もしかして……ぼくのヨーロッパ出張《しゅっちょう》のおみやげのせい!?」

コチニール色素《しきそ》に過敏《かびん》になった原因《げんいん》と考えられる、女性《じょせい》がよく使う「赤いもの」とは何だろうか。

解説《かいせつ》

答えは「口紅《くちべに》」。タカシが買ってきてくれた外国製《がいこくせい》の口紅《くちべに》にはコチニールがふくまれていた。担当医《たんとうい》から説明を受けたところ、この推測《すいそく》は当たっていた。

主人公は、その口紅《くちべに》を気に入ってよく使っていた。アレルギーを起こした原因《げんいん》は、コチニールの原料のカイガラムシのタンパク質《しつ》にあった。これが皮膚《ひふ》を通じて体に入ると、アレルギーを起こす土壌《どじょう》をつくる原因《げんいん》になることがあるのだ。本来コチニールは食品として摂取《せっしゅ》する（腸《ちょう》から吸収《きゅうしゅう》する）だけならアレルギーの原因《げんいん》にはならないという。主人公は「その口紅《くちべに》を使うのをやめれば、今後アレルギーを起こさなくなる可能性《かのうせい》が高い」と説明を受けた。ただし、一つまちがえば命に関わるので自己判断《じこはんだん》は禁物《きんもつ》。軽症《けいしょう》でもアレルギーを起こした食品については、専門医《せんもんい》の指導《しどう》に従《したが》うのが鉄則《てっそく》だ。これは実際《じっさい》にあった症例《しょうれい》をもとにした話。このような例を受け、コチニール色素《しきそ》はタンパク質《しつ》の濃度《のうど》を低くするように工夫されるようになり、アレルギーを起こす例は少なくなっているそうだ。

22

評判《ひょうばん》の占《うらな》い師《し》

方法→なぜ？

「メイリン、それじゃあ質問《しつもん》をどうぞ。」

ユーチェンにイスをすすめられ、メイリンは緊張《きんちょう》した面持《おもも》ちで腰《こし》かけた。手にはペンとノートをしっかりとにぎりしめている。

ユーチェンは評判《ひょうばん》の占《うらな》い師《し》だ。メイリンは1か月前にユーチェンのもとに弟子《でし》入りし、身の回りの雑用《ざつよう》をこなしてきた。今日は初めてユーチェンが実際《じっさい》にお客さんと話す様子を録音したものを聞き——その話術《わじゅつ》についてユーチェンに解説《かいせつ》してもらう「授業《じゅぎょう》」の1回目なのだ。

「ユーチェン先生はまずお客さんから名前と生年月日を聞くと、『最近、環境《かんきょう》に変化があったみたいですね』と言いますね。どうしてそんなことがわかるんですか？」

ユーチェンは大きなヒスイのペンダントをいじりながら口を開く。

「占《うらな》い師《し》を訪《たず》ねてくる人はだいたいそんなものよ。相手の身の上をさも見ぬいているように話すと、占《うらな》いの説得力《せっとくりょく》も増《ま》すでしょう？　もし、相手が『特に変化はない』と言った場合は、『まだ変化に気づいてないんですね』とほのめかせばいいの。『わたしにはわかっている』と自信を見せることが大事なのよ。」

メイリンは感心して、せっせとノートに書きつけた。

「あ、でも、不思議だったのは……『結婚《けっこん》は2回ですね？』と当てていましたよね。これは？」

「結婚《けっこん》している人は、たいてい結婚《けっこん》指輪をしてるでしょ？　だから『結婚《けっこん》してますね？』と言っても『当てた』ことにはならない。『2回』と言って当たれば、お客さんは驚《おどろ》くでしょ？　わたしはいつも『2回』と言うことにしてるの。」

メイリンは目をクルリと動かした。

「でも、2回結婚《けっこん》してる人ってそんなに多いですか？　『1回です』って言われた場合はどうするんですか？」

ユーチェンはお茶を一口飲むと、あでやかなほほ笑《え》みを浮《う》かべた。

「メイリン、その答えは自分で考えてごらんなさい。ヒントをあげましょうか。占《うらな》い師《し》はね、まちがったことを言ってはダメなの。ときには『お客さん本人が知らないことも、わたしには見えている』という態度《たいど》を取ること。それから、人気の占《うらな》い師《し》に必要なことはもうひとつあるわ。ときどきお客さんをいい気持ちにさせることよ。」

ユーチェンは結婚《けっこん》指輪をしているお客さんには必ず「結婚《けっこん》は2回ですね？」と言う。お客さんに「いいえ、1回です」と言われた場合は、何と言えば「2回」が「正解《せいかい》」になるのだろうか。

解説《かいせつ》

ユーチェンのやり方は以下の通り。「結婚《けっこん》は2回ですね？」と決めつけたのに「1回です」と言われた場合は「今、近くにあなたと結婚《けっこん》したいと思っている人がいますよ」と言う。こう言われたら、たいていの女性《じょせい》はいい気持ちになるからだ。ちなみにユーチェンは「3回」と言われた場合は「最初の相手は結婚《けっこん》するはずではなかった人。魂《たましい》が結ばれていないので、霊的《れいてき》な世界では結婚《けっこん》は成立していない」という答えを用意し、神秘的《しんぴてき》なムードで押《お》し切るそうだ。

占《うらな》いは信じるも信じないも自由だが——人は人生に迷《まよ》ったとき、何かにすがりたくて占《うらな》い師《し》を訪《たず》ねるもの。お客さんが「この占《うらな》い師《し》は真実を知っている」と思える演出《えんしゅつ》は大事なのだ。

23

執《しつ》事《じ》とメイド

解《かい》読《どく》↓結果？

大広間の階段《かいだん》のかげにひそんでいたオレは、決定的瞬間《しゅんかん》を目《ま》の当たりにした。

メイドが階段《かいだん》を下りてくる。そして、執事《しつじ》が階段《かいだん》を下からのぼっていき――2人が階段《かいだん》のとちゅうで出会うと、執事《しつじ》はサッと胸元《むなもと》のポケットから紙切れを出し、物も言わずにメイドにわたした。

メイドは無言でうなずき、受け取った紙切れをポケットにしまおうとする。

ずっと目をつけていた2人のあやしいやりとりを見過《みす》ごしてなるものか！

オレは急いで飛び出すと階段《かいだん》をかけのぼり、紙切れを持ったメイドの右うでをつかんだ。

「その紙は何ですか？　ちょっと見せてください。」

オレは私立探偵《しりつたんてい》である。この屋敷《やしき》の主人であるイサカ氏にやとわれ、庭師《にわし》見習いのふりをして潜入《せんにゅう》していたのだ。

イサカ氏が、金庫に保管《ほかん》しているお金が減《へ》っているのに気づいて、オレに連絡《れんらく》をしてきたのは2週間前のこと。

「真っ先に疑《うたが》ったのは執事《しつじ》です。わたし以外で金庫の暗証《あんしょう》番号を知っているのは執事《しつじ》だけですから。」

しかし、イサカ氏には長年自分に忠実《ちゅうじつ》につかえてくれている執事《しつじ》を疑《うたが》いたくない気持ちもあった。

「そもそも証拠《しょうこ》はありませんしね。もしかしたら、外から侵入《しんにゅう》したどろぼうのしわざかもしれません。とりあえず、お金が盗《ぬす》まれていることはまだ執事《しつじ》には話していませんが。」

「イサカさん、それはいい判断《はんだん》でしたね。では、こうしましょう。金庫の暗証《あんしょう》番号を変更《へんこう》して……執事《しつじ》には、すぐに新しい暗証《あんしょう》番号を伝えてください。金庫のお金が減《へ》っていることには気づいていないふりをして——思いつきで暗証《あんしょう》番号を変えたことにしておくんです。」

「なるほど。つまり、ワナを張《は》るということですね？」

オレはうなずいた。

新しい暗証《あんしょう》番号を知って、執事《しつじ》が何か行動を起こすかどうかを見張《みは》るのだ。

「その通り。今日からオレはここに住みこみます。執事《しつじ》だけではなく、ほかの使用人やこちらに出入りする人々《ひとびと》を徹底的《てっていてき》にチェックしますから。」

そして、2週間がたち……ついに、あやしいとにらんだ2人が接触《せっしょく》する瞬間《しゅんかん》を押《お》さえたわけなのだ。

しかし……オレは少々《しょうしょう》早まったのだろうか？

オレはメイドから取り上げた紙切れをにらみながら、ため息をもらした。

・レモン
・くつみがき用クリーム
・ヨーグルト
・ろうそく
・サンドイッチ用の食パン
・ごみ袋《ぶくろ》
・ふろ用洗剤《せんざい》
・ナッツ

執事《しつじ》は不愉快《ふゆかい》そうに言った。

「見ての通り、これはただの買い物リストです。私立探偵《しりつたんてい》だかなんだか知りませんが、おかしな言いがかりをつけられては困《こま》りますね。」

メイドも目をつり上げて、紙切れに手をのばしてくる。

「リストを返してください。わたし、そんなにひまじゃないんです。買い物をすませたあとも、仕事はいっぱいあるんですからね。」
しかし……オレには、このリストはどこか不自然に感じられた。
そして、1分後にはこのリストの意味を解《と》いたのである。

この買い物リストは何を表しているのだろうか。

解説《かいせつ》

主人公が、この買い物リストを見たときに違和感《いわかん》を覚えたのは、食べ物とそれ以外の雑貨品《ざっかひん》がごちゃまぜに書かれている点だ。「レモン」「ヨーグルト」「サンドイッチ用の食パン」「ナッツ」といった食品をならべて書いた方が買い物をしやすいに決まっている。ベテランの執事《しつじ》なら、そうするはずである。

つまり、このリストの「順番」自体に意味があるわけだ。主人公は品物の最初の部分が数字を表しているのに気付いた。「レモン→0」「くつみがき用クリーム→9」「ヨーグルト→4」「ろうそく→6」「サンドイッチ用の食パン→3」「ごみ袋《ぶくろ》→5」「ふろ用洗剤《せんざい》→2」「ナッツ→7」。執事《しつじ》はこのリストでメイドに「0946 3527」という暗証番号《あんしょうばんごう》を伝えようとしていた。以前執事《しつじ》は、自分がイサカ氏と別の部屋で話をしている間にメイドに金庫を開けさせており、今回も同じ手口を使おうとたくらんでいたのだ。さすがに「ぐうぜんの一致《いっち》」と言い逃《のが》れはできず、2人は罪《つみ》を白状《はくじょう》したのである。

24

新《しん》鮮《せん》なアート

成功→なぜ？

「ぼくはアンドレア・マルティーニといいます。ジュリアーノ先生の使いで参りました。」

「ああ、話は聞いているよ。」

画商のトーニオは、大きな包みを運んできた青年を愛想よく迎《むか》え入れた。

アンドレアは包みを大理石の台の上に置くと、慎重《しんちょう》に梱包《こんぽう》をとく。

1メートル四方ほどのキャンバスに赤や青、黄色のぼんやりした形が炎《ほのお》のようにゆらめき——その上に、何十色もの色の粒《つぶ》がはじけるように飛び散っている。ジュリアーノという画家は、こうした現代的《げんだいてき》な抽象画《ちゅうしょうが》が専門《せんもん》なのだ。

「ご苦労さま。ひとまず預《あず》かるよ。売値《うりね》については、わたしからジュリアーノ先生に連絡《れんらく》を入れると言っておいてくれ。」

アンドレアが帰ると、トーニオはもう一度絵をよくながめてみた。

（しかし、相変わらず、ジュリアーノの絵はよくわからんな。）

そこへ常連《じょうれん》のレオーニ夫人がやってきた。

「これ、いい色調ね。月末にパーティーがあるから広間にかざる新しい絵がほしいのよ。このところ買い物をしすぎちゃって、あまり予算がないんだけれど……。」

レオーニ夫人は、トーニオにこびるような目つきを送る。

（レオーニ夫人はお得意様《とくいさま》だからサービスしたいのはやまやまだが。ジュリアーノも最近金に困《こま》ってるようだし、そう安くするわけにはいかんな。）

トーニオがいくらの値《ね》をつけようか考えていると、レオーニ夫人がたずねた。

「ところで、この絵、どっちが上なのかしら？」

（あっ、そういえば。アンドレアに聞くのを忘《わす》れてた！）

「ええと、これはですね……。」

トーニオが考えていると、レオーニ夫人は台の反対側に回ってきた。

「きっとこっちが上ね。そうでしょう?」

そのとき、トーニオはすばらしいことを思いついたのである。


レオーニ夫人がその絵を予約して帰っていったあと、トーニオはジュリアーノに電話をして売値《うりね》の相談をした。予想よりも高い値段《ねだん》だったようで、ジュリアーノはうれしそうだ。

「ジュリアーノ先生、ああいう絵をもっと描《えが》いてきてくれ。うまい売り文句《もんく》を考えたからね。うちでじゃんじゃん売ってみせますよ。」


トーニオはどんな売り文句《もんく》を考えついたのだろうか。

解説《かいせつ》

答えは「どこを上にしてかざってもいい、4タイプのかざり方ができるアート作品」。パッと見てどちらが上かわからなかったので、トーニオはこんな出まかせを言ったのだ。レオーニ夫人も「1枚《まい》で4つの楽しみ方ができるならお得《とく》な買い物」と喜《よろこ》んだのである。「この向きでなければダメだ」と怒《おこ》る画家の方が多そうだが――ジュリアーノ先生は「それで売れるなら」と割《わ》り切って制作《せいさく》にはげんだという。

実際《じっさい》、どっちが上かわかりにくい絵はある。美術館《びじゅつかん》で作品の上下をまちがえて展《てん》示《じ》していた例があるのだ。直線をモチーフにした作品で知られる画家・モンドリアンの作品や、睡蓮《すいれん》と水面にうつる雲などを描《えが》いたモネの『睡蓮《すいれん》』という作品は、長い間だれにも気づかれないまま、さかさまに展示《てんじ》されていたそうだ。

25

世《せい》紀《き》のパレード

成功→なぜ？

ときは昭和34（1959）年。

△△テレビのディレクターとカメラマンたちは、地図を囲《かこ》んで額《ひたい》を寄《よ》せあっていた。皇太子《こうたいし》と皇太子妃《こうたいしひ》となるミチコ様の結婚《けっこん》のお祝いのパレードは目前にせまっている。

彼《かれ》らは、テレビ中継《ちゅうけい》の作戦会議の真っ最中なのだ。

「国民が何より見たいのはミチコ様の笑顔《えがお》だ。」

「そうだ。この中継《ちゅうけい》の成功は、ミチコ様のアップをどれだけ長く放映《ほうえい》できるかにかかっている。」

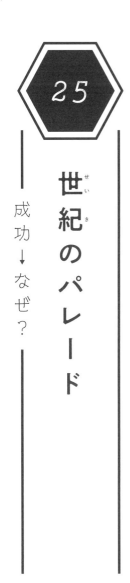

みんなは深くうなずいた。

昭和30年代はじめ、まだテレビのある家庭は少なかったが、このパレードが近づくにつれて急激《きゅうげき》にテレビが売れ出した。それは皇太子《こうたいし》に見初《みそ》められたミチコ様の人気が大きいと考えられていた。

名門女子大を卒業し、クラシック音楽が好きで、皇太子《こうたいし》と仲よくテニスを楽しむ――上品さと教養、健康的なさわやかさを備《そな》えたミチコ様は、国民のアイドルとなっていたのだ。マスコミはミチコ様を「現代《げんだい》のシンデレラ」と表現《ひょうげん》したほどだ。

もちろんこのパレードは、ほかのテレビ局も中継《ちゅうけい》を行う。皇太子《こうたいし》とミチコ様を乗せた馬車が通る道に、各テレビ局のクルーが陣取《じんど》るわけだが――。

「なんとかして、ミチコ様にうちのカメラの方を向いてもらうことはできないかな。」

一同は、考えこんだ。

パレードが行われる道ぞいには一般《いっぱん》の見物客もたくさんやってくる。そのだれもが「ミチコ様！」と呼《よ》びかけるだろう。

ミチコ様の気を引くにはどうすればいいか。まわりの迷惑《めいわく》になってはいけないし、お祝いの場にあわないことをしてはダメだ。

いろいろなアイディアを出したあげく、△△テレビのクルーたちはすばらしい作戦を思いついた。

「うん、お祝いの雰囲気《ふんいき》を盛《も》り上げる演出《えんしゅつ》としても自然だ。」

「ただ声をそろえてさけぶだけじゃ、まわりの歓声《かんせい》にうもれちゃうだろうけど……これならふり向いてもらえるかも。」

そして、その作戦は大成功。△△テレビはライバル局よりもずっと長く、皇太子《こうたいし》妃《ひ》の笑顔《えがお》を放映《ほうえい》することができたのである。

クルーたちはどんな作戦を行ったのだろうか。テレビクルーの一員になったつもりで考えてみてほしい。

解説《かいせつ》

ミチコ様の気を引くために行ったのは「合唱」だ。ディレクターは近所の大学の合唱部に協力を頼《たの》み、沿道《えんどう》で『ハレルヤ・コーラス』（ヘンデル作曲）という曲を合唱してもらったのである。「ハレルヤ」は「神をほめたたえよ」という意味で、お祝いの式典などで歌われることが多い。馬車が通過《つうか》するタイミングで合唱が始まると、クラシック音楽の好きなミチコ様は合唱が響《ひび》いてくる方――△△テレビのカメラの方を向き、笑顔《えがお》で手を振《ふ》り続けたという。

これは、日本の第125代天皇《てんのう》・明仁《あきひと》（平成時代の天皇《てんのう》）が皇太子《こうたいし》のとき、美智子《みちこ》様とご結婚《けっこん》されたときのエピソードをもとにした有名な話。この作戦を使った日本テレビは、皇太子妃《こうたいしひ》のアップを45秒間にわたって独占的《どくせんてき》にとらえ、ほかのテレビ局に差をつけることができたそうだ。

26

少年探偵《たんてい》ポロロ、監禁《かんきん》される

危機《きき》↓逆転《ぎゃくてん》？

油断《ゆだん》した。一生の不覚だ。

天才少年探偵《たんてい》であるぼくと助手のアーサーは、まんまとワナにかかってしまった。とあるパーティーに参加したところ、飲み物に睡眠薬《すいみんやく》を盛《も》られたらしい。

ぼくらは宿敵《しゅくてき》、怪人《かいじん》99面相の部下によって車で運ばれ、マンションの一室に監禁《かんきん》されているのだ。

顔をマスクでおおった男はうれしそうに笑った。

「これからおまえらを捕獲《ほかく》したことをボスに報告《ほうこく》してくる。知っての通りボスはいそがしいお方だ。すぐに来られるかはわからないからな……せいぜい飢《う》え死にしないでがんばって生きていてくれよ！」

こう捨《す》てゼリフをはくと、男は静かにドアを閉《し》めた。

そして、ガチャリと鍵《かぎ》のかかる音。


アーサーは体をよじって立ち上がり、すり足でドアに寄《よ》っていく。両足をひざのあたりで、両手を後ろでしばられているから起き上がるのも歩くのもひと苦労だ。

アーサーは、ドアに寄《よ》りかかると泣きそうな顔をした。

「ポロロくん、どうするの？」

「落ち着け。こんなときは、まず現状《げんじょう》をできるだけ正確《せいかく》に把握《はあく》することだ。」

ぼくは部屋を見回した。

「部屋中に吸音材《きゅうおんざい》が張《は》ってあるから、大声でどなっても外には聞こえなさそうだな。アーサー、部屋の様子についてわかることを言ってみたまえ。」

「窓《まど》はあるけど、厚《あつ》い板がはりつけてある。この板をはずせれば、ガラスを割《わ》って脱出《だっしゅつ》できるんじゃない？　外に向かって助けを呼《よ》ぶとか。」

「でも、手足をしばられてる状態《じょうたい》じゃ、板をはずすのは無理だ。つまり、自力で脱《だっ》出《しゅつ》するんじゃなく、外に助けを求める方法を考えるべきだ。」

「そうだねぇ。このなわ、かなりじょうぶそうだし。」

「うん。靴《くつ》にしこんだナイフも没収《ぼっしゅう》されている。もちろんスマホもだ。」

「本当だ。なくなってる！」

アーサーは体をゆらして、ポケットの重みがないのを確《たし》かめた。

「この部屋にはいっさいの通信手段《しゅだん》はない。電話もパソコンも。インターホンもはずされている。」

ぼくは肩《かた》で電気のスイッチを押《お》してみた。パッと部屋が明るくなる。

「おしいな。窓《まど》がふさがれてなければ、電気を点滅《てんめつ》させてモールス信号を送ることができたのにな。」

本当に何もない部屋だ。おそらく、こんなふうにジャマな人間を放りこむだけのために使ってるんだろう。

「ポロロくん、ここって何階なのかな？」

「毛布《もうふ》にくるんでこの部屋に運ばれてきたとき、ぼくは一瞬《いっしゅん》目が覚めたんだ。そのとき階段《かいだん》をのぼっている振動《しんどう》を感じたから……1階じゃないのは確《たし》かだ。」

「それならいい手がある！」

アーサーは突然《とつぜん》、ピョンピョンはね始めた。

「こうやって床《ゆか》をドンドンし続ければ、下に住んでる人が怒《おこ》って大家さんか警察《けいさつ》に通報《つうほう》するんじゃない？」

アーサーにしてはいい案だ。だが、下の人が棒《ぼう》でつついてくるなどの反応《はんのう》はない。真下には人が住んでないかもしれないし、留守《るす》かもしれないし……。

「ねえ、ポロロくん。キッチンにガスホースがあるけど、ガスも通ってるのかな。」

「アーサー、むやみにガスの開閉弁《かいへいべん》にさわるなよ。ガスが通ってたとしたらどうするつもりだ？」

「ガス爆発《ばくはつ》を起こすとか？」

「バカ！　そんなことしたらぼくらもこっぱみじんだ！」

「あ、そうか。」

まったくこの助手は、危《あぶ》なっかしくてしょうがない。この天才少年探偵《たんてい》の命が、地球にとってどれほど大切か考えてほしいものだ。そういえば――この部屋で飢《う》え死にする可能性《かのうせい》もゼロではないんだな。食べ物はないし。

ぼくは、後ろ手にしばられた両手をのばして、水道のじゃぐちをひねってみた。

よかった、水は出る。

ということは……。

「水を使って人を呼《よ》ぶことができるぞ！」

結局、ぼくらはそれから数時間後に救出《きゅうしゅつ》された。

自力で脱出《だっしゅつ》するのが不可能《ふかのう》な場合は、外に異変《いへん》を知らせる知恵《ちえ》が命を救《すく》うのだ。

どうやったら水を使って人を呼《よ》ぶことができるのだろうか。

解説《かいせつ》

ポロロは水道のじゃぐちをひねり、くつしたを使って水がシンクの外に流れるように誘導《ゆうどう》した。水は床《ゆか》に流れ出し、下の部屋にもれていく。水は真下の部屋だけではなく、その左右の部屋にも伝わったので、しばらくすると下の住民たちがマンションの管理会社に通報《つうほう》。これを受けてやってきた管理会社の人が部屋を開けてくれ、2人は無事に救出《きゅうしゅつ》されたのである。管理会社の人はこの部屋が有名な犯罪者《はんざいしゃ》の隠《かく》れ家《が》だと知って驚《おどろ》いたが、もちろん借り主はここに二度と姿《すがた》を現《あらわ》すことはなかった。

ちなみに、電気のスイッチのオンオフで「SOS《エスオーエス》」を伝えるモールス信号は「トントントン・ツーツーツー・トントントン（短い点滅《てんめつ》を3回・長く3回・短く3回）」。いざというときのために覚えておこう。

27

少年探偵《たんてい》ポロロと水晶玉《すいしょうだま》

危機《きき》↓逆転《ぎゃくてん》？

怪人《かいじん》99面相がベアール夫人に「水晶玉《すいしょうだま》をいただきに参上する」と予告《よこく》した日から1週間がたった。

天才少年探偵《たんてい》であるぼくと助手のアーサーはベアール夫人の邸宅《ていたく》に泊《と》まりこみ、水晶玉《すいしょうだま》の見張《みは》り役をおおせつかっていた。しかし、ヤツは現《あらわ》れなかったのだ。

責任者《せきにんしゃ》であるモラン警部《けいぶ》は、うれしそうに胸《むね》をはっていた。

「ははは、大勝利だ！　虫一匹侵入《びきしんにゅう》を許《ゆる》さないわれわれの厳重《げんじゅう》な警備《けいび》の前に、さしもの怪人《かいじん》99面相も降参《こうさん》したわけだな。」

「怪人《かいじん》99面相が予告《よこく》した日に現《あらわ》れなかったことはありません。あきらめたと考えてよいかもしれませんが……。」

しかし、まだそう言い切れない気持ちがあった。おめおめ引き下がるとは、怪人《かいじん》99面相らしくない。しかし、ベアール夫人の水晶玉《すいしょうだま》そっくりに作らせたガラス製《せい》のニセモノを置き、怪人《かいじん》99面相にいっぱい食わせる作戦を考えたのに、ヤツが現《あらわ》れなかったのは残念だ。このニセモノが、すばらしくよくできているだけに。

なにしろ持ち主のベアール夫人でさえ、並《なら》べて見ても「見分けがつかない」と驚《おどろ》いたほどなんだ。


トントン。

ノックの音に、モラン警部《けいぶ》がドアにかけ寄《よ》る。入ってきたのはモラン警部《けいぶ》の部下のドニエだった。このニセモノの水晶玉《すいしょうだま》を運ぶ役目を果たした男だ。

「ご苦労さまです。本当にありがとうございました。」

ベアール夫人は、部屋の隠《かく》し扉《とびら》にしこまれた金庫のダイヤルを回した。早くご自《じ》慢《まん》の「本物の」水晶玉《すいしょうだま》を見たくてたまらないのだろう。

ベアール夫人は水晶玉《すいしょうだま》を、もと通り飾《かざ》り棚《だな》の上のビロードのクッションの上に置いた。ドニエは手袋《てぶくろ》をはめると「なにごともなくすんで何よりです」と言いながら、持参してきたジュラルミンケースにニセモノのガラス玉をおさめる。

アーサーが「いやぁ、これがホントの『替《か》え玉』ですね」とくだらないギャグを言ったので、ぼくは思いっきり足をふみつけてやった。

しかし……待てよ。替《か》え玉か。

ドニエがケースのふたを閉《し》めようとしたとき、ぼくはサッと手を出して透明《とうめい》な玉に手をふれた。そして、即座《そくざ》に言い放ったのである。

「ドニエさん。あなたもどうやら替《か》え玉らしいですね。」

ポロロは、ドニエに化けた男の正体を見破《みやぶ》った。なぜさわっただけで、彼《かれ》がニセモノと本物の水晶玉《すいしょうだま》をすりかえたことがわかったのだろうか。

解説《かいせつ》

水晶玉《すいしょうだま》とガラス玉はどちらも無色透明《とうめい》。見分けるのは難《むずか》しいが、いくつか方法がある。一番かんたんな方法は、持ちくらべること。水晶《すいしょう》の方がズッシリ重いのだ。それができない場合は、さわってみる。水晶《すいしょう》ならひんやりと冷たいのだ。それで、ポロロは、本物を持ち去ろうとしたこの男はドニエに化けた怪人《かいじん》99面相だと見破《みやぶ》ることができたのである。怪人《かいじん》99面相はあらかじめこの替《か》え玉作戦の情報《じょうほう》をキャッチしていた。そして、一瞬《いっしゅん》のスキをついて本物とニセモノをすりかえたが、ポロロの機転によって阻止《そし》されたのだ。

よく「水晶玉《すいしょうだま》」として販売《はんばい》されているものには、「天然水晶《すいしょう》」「ガラス」「人工水《すい》晶《しょう》」の3つがある。じつは、これらはすべて、基本的《きほんてき》には二酸化《にさんか》ケイ素《そ》という成分でできている。天然石として価値《かち》が高い水晶《すいしょう》は、二酸化《にさんか》ケイ素《そ》が長い年月をかけて結晶化《けっしょうか》したもの。二酸化《にさんか》ケイ素《そ》を主成分とした珪砂《けいしゃ》を溶《と》かして形成したのがガラス。人工水晶《すいしょう》は二酸化《にさんか》ケイ素《そ》を人工的に結晶化《けっしょうか》して作ったものである。

28

小説家の悪ふざけ

成功↓なぜ？

ときは大正時代。小説家のU《ユー》先生は変わり者で知られていた。

好ききらいが激《はげ》しく、いやなことは絶対《ぜったい》にしない。たとえば、お世話になった人に頼《たの》まれて「会合に顔を出してほしい」と頼《たの》みこまれると、本当に一瞬《いっしゅん》顔を見せただけで帰ってしまうような大人《おとな》げないことを堂々《どうどう》とやってのける。

大好きなのは食べること、お酒を飲むことだ。

それなりの売れっ子作家で、収入《しゅうにゅう》は多い方なのにむだづかいをしてしょっちゅうお金に困《こま》っている。なのに、お金を借りに行くときもぜいたくにタクシーに乗って行ったりするから、借金は増《ふ》える一方。

そんなU《ユー》先生のもとには来客が絶《た》えなかった。ユニークな人柄《ひとがら》で、人気があったからだ。ただし、友人知人だけでなく、借金取りもしょっちゅう訪《たず》ねてきたけれど。

U《ユー》先生は人ぎらいではなかったが、気が向かないときには人に会いたくない性格《せいかく》である。そこで、あるとき玄関《げんかん》の前にこんな貼《は》り紙をした。

「世の中に人の来るこそたのしけれ　とはいうもののおまえではなし」。

「人が訪問《ほうもん》してくるのはうれしいけど、それはおまえのことじゃない」という意味である。これを見てハッとして帰ってしまう人もいたけれど、「さすがU《ユー》先生、うまいこと言うなぁ！」と大笑いし、戸をガラリと開けて入ってくる者もある。

「うーん、効果《こうか》は今ひとつだな。」

これは大田南畝《なんぽ》という人の狂歌《きょうか》（ユーモアや皮肉をまじえた短歌）をもじったものだった。もとは「世の中に人の来るこそうるさけれ　とはいうもののおまえではなし（人が訪《たず》ねてくるのはわずらわしいもの。でも、それはあなたのことではありません）」という歌である。

「本気にしてもらうには、もっときびしい言葉じゃないとダメだな。」

そう考えたU《ユー》先生はちょっと首をひねり、新しい貼《は》り紙を用意したのである。

新しい貼《は》り紙の効果《こうか》はばつぐん。

「えっ、U《ユー》先生、だいじょうぶなのか？」

「これは……さすがに出直した方がいいかもしれないな。」

訪《たず》ねて来た人たちが心配そうな顔をして帰っていくのを、U《ユー》先生は戸のすき間からながめてほくそ笑《え》んだのである。

「ふふふ……うまくいった！」

U《ユー》先生はどんな言葉で訪問客《ほうもんきゃく》を追い払《はら》ったのか推理《すいり》してみてほしい。ヒントは「人を心配させる」ような深刻《しんこく》な言葉。

解説《かいせつ》

答えは「面会謝絶《しゃぜつ》」。病院などで使われ、こう書かれるといかにも「患者《かんじゃ》の病状《びょうじょう》が重い」意味を持つような気がしてしまうが、じつはそんな意味はない。「謝絶《しゃぜつ》」は単純《たんじゅん》に「人の申し出などを断《ことわ》る」という意味だ。しかし、結果的には「面会お断《ことわ》り」と書くより強い威力《いりょく》を発揮《はっき》することになったのだ。

これは実話をもとにした話。U《ユー》先生のモデルは、明治時代生まれの小説家でエッセイストの内田百閒《うちだひゃっけん》だ。幻想的《げんそうてき》なムードの小説のほか、独特《どくとく》なユーモア感覚を発揮《はっき》したエッセイで人気を博した。エッセイでは大好きな鉄道と旅行、飼《か》いねこ、借金生活のことを書いた作品が特に有名だ。

百閒《ひゃっけん》は人ぎらいではなく、人を招待《しょうたい》してごちそうするのも好きだったという。ただ、予定外に押《お》しかけられて仕事のペースを乱《みだ》されるのがいやだったのだ。「面会謝《しゃ》絶《ぜつ》」作戦も、親しい人には「百閒先生《ひゃっけんせんせい》、またふざけてるな」と見破《みやぶ》られたのではないだろうか。

29

危《あぶ》ない死体

危機《きき》→なぜ？

とある国の海ぞいの町にて。

広々《ひろびろ》とした浜《はま》に巨大《きょだい》な黒いかたまりが出現《しゅつげん》しているのを見たとき、町の人たちはそれを座礁《ざしょう》した船だと思った。

しかし、それは死んだクジラだったのだ。

「死んでるんだよな？」

「そりゃそうだ。だって、砂浜《すなはま》に上がってるんだぜ。」

人々《ひとびと》は、体長がゆうに15メートルはありそうなクジラを遠巻《とおま》きにながめた。あまりにも大きくツヤツヤしているから、どこか非現実的《ひげんじつてき》で「死んだ動物」という実感がわかない。

「どうする？　これ、食えるのかな。大パーティーができるぜ。」

青年の言葉に答えたのは、医者のフィルじいさんだ。

「この暑さだし、もうくさってるんじゃないか。大パーティーで集団食中毒《しゅうだんしょくちゅうどく》なんてかんべんしてくれよ。」

しかし、さっきの青年のひとことで、人々《ひとびと》はこのぐうぜんの贈《おく》り物を何かに役立てたい気持ちが強くなったようだ。

「くさってるって？　こんなにピチピチしてるのに。」

「これはマッコウクジラかな。マッコウクジラの腹《はら》からはすごくいい香りがするリュウゼンコウっていう貴重《きちょう》な石が取れるっていうぜ。腹《はら》をかっさばいてみたらどうだ？　大金持ちになれるぞ。」

フィルじいさんは、クジラの死体にじわじわと近づく人々《ひとびと》の前に立ちはだかった。

「マッコウクジラからリュウゼンコウが見つかるのは相当めずらしいケースだ。見つからないことの方が多い。」

「そんなこと言って、お宝《たから》をひとり占《じ》めするつもりじゃないだろうな。」

フィルじいさんはきびしい顔つきでみんなを見回した。

「おまえたちは知らないだろうが……とにかくこのクジラは危険《きけん》だから近づいたらいかん。さあ、みんな下がって。家に帰るんだ！」

ある者はフィルじいさんを疑《うたが》わしげに見つめ、ある者は鼻で笑った。

「危険《きけん》だって？　いくらデカいっていっても死んでるんだぜ。」

するとフィルじいさんは重々《おもおも》しく言ったのである。

「死んでるから危《あぶ》ないんだ！」


フィルじいさんの「死んでるから危《あぶ》ない」という言葉にはどんな意味があるのだろうか。

死んだクジラは爆発《ばくはつ》することがある。クジラは脂肪《しぼう》があつく、腐敗《ふはい》で出た体内のメタンガスをためこみやすい。その状態《じょうたい》で体に穴《あな》が開くと、破裂《はれつ》することがあるのだ。くさった肉が飛び散り、内臓《ないぞう》が猛烈《もうれつ》な勢《いきお》いで噴《ふ》き出す――想像《そうぞう》したくない大惨《だいさん》事《じ》だ。くさいしきたないのはもちろん、ウイルスや細菌《さいきん》がばらまかれる危険《きけん》も。かつて、台湾《たいわん》では死んだクジラがトラックで輸送中《ゆそうちゅう》に爆発《ばくはつ》し、街中の店や自動車が破《は》壊《かい》された例もある。２０２３年には、大阪湾《わん》の淀川河口《よどがわかこう》にクジラが迷《まよ》いこんで死んだニュースが話題になった。このクジラは、専門家《せんもんか》が慎重《しんちょう》にガスぬき作業を行ったのち、海にしずめられている。

リュウゼンコウとは、マッコウクジラの腸《ちょう》から発見される結石（カルシウムなどの成分が体内で石になったもの）。よい香りがするので、古代から貴重《きちょう》な香料として高値《たかね》で取り引きされた。リュウゼンコウが見つかる確率《かくりつ》は１００～２００頭に１頭といわれる。まれに便のように排泄《はいせつ》され、浜《はま》に打ち上げられることもあるそうだ。

30

みんなのハルミ先生

成功↓なぜ?

その日、オレは朝からずっとキヨヒコの居場所《いばしょ》を目で追っていた。

正確《せいかく》に言えば、キヨヒコがハルミ先生と2人きりにならないように見張《みは》ってたんだ。

ハルミ先生は教育実習の先生だ。うちの高校は共学の全寮制《ぜんりょうせい》。女子はいるけど、ハルミ先生はすごく魅力的《みりょくてき》で――うちのクラスの男子のほぼ全員がハルミ先生に夢中《むちゅう》になったんだ。もちろんオレだって。

今日は、ハルミ先生の実習期間の最終日だ。部活の時間が終わったら、寮《りょう》のプレイルームでお別れ会をやることになってる。

無事にハルミ先生を送り出すまで、キヨヒコを見張《みは》らなきゃいけない理由はというと。

あいつ、きのうの晩《ばん》めしのときにサラッととんでもないことを言ったんだ。

「明日でハルミちゃんとお別れなんてさびしいな。オレ、告白《こくはく》しよっかな。」

オレはもう少しでみそ汁《しる》を吹《ふ》き出すところだった。

「やめとけよ。向こうは共学の大学4年だぜ。彼氏《かれし》がいるに決まってるだろ。」

「彼氏《かれし》ならいないって。」

えっ。マジか。

「でもさぁ、高校生なんて相手にされるわけないだろ。フツーに考えて。」

「そうかな。世の中には意外といるよ。女子が年上のカップル。」

キヨヒコは自信ありげな笑《え》みを浮《う》かべる。

そう……こいつは相当なイケメンなんだ。男のオレから見てもカッコいい。スポーツ万能《ばんのう》でサッカー部のエース。背《せ》が高くて服のセンスもよくて大人《おとな》っぽい。こいつならハルミ先生の横に並《なら》んで不自然でもない。

キヨヒコがコクったら――ハルミ先生がＯＫ《オーケー》する可能性《かのうせい》はあるかも。

そんなの耐《た》えられない。みんな（オレも）、ハルミ先生にほのかな恋心《こいごころ》を持っててさ。絶対《ぜったい》手が届《とど》かないけど、高校時代のいい思い出としてとっておきたい――そんな気持ちをキヨヒコにぶちこわされたくないんだ。

勝手なのはわかってるけど……ともかく絶対《ぜったい》にキヨヒコにチャンスはやらない！

「あら、もしかして待っててくれたの？」

ハルミ先生が担当《たんとう》の放送部の部活を終えて1階に下りてくるのを、オレは階段《かいだん》の下で待っていた。

「はい。寮《りょう》にご案内しようと思って。」

と、そこへ――キヨヒコがやって来た。

あいつもオレと同じことを考えてたんだろう。危《あぶ》ないところだった。きわどいシュートを止めたゴールキーパーの気分だぜ。

ここさえクリアーすれば、もう2人きりになる機会はない。

そう思ったんだが。

3人で昇降口《しょうこうぐち》に向かおうとしたとき、ハルミ先生が足を止めた。

「しまった！　3階と、地下3階のろうかの電気を消すように言われてたのに忘《わす》れちゃった。」

「そんなの、だれかが消してると思いますよ。」

オレは言ったが、ハルミ先生は「でも、わたしが頼《たの》まれたことだから」と言う。

「じゃ、オレがひとっ走り、行ってきますよ。」

キヨヒコがさっそくいいカッコをする。「ハルミ先生といっしょに行く」とか言い出すんじゃないかと思ったオレは、あわてて言った。

「じゃ、オレたちで手分けしようぜ。オレが3階、キヨヒコが地下3階な。」

「よし、わかった！　ハルミちゃん、すぐもどるから待っててね。」

キヨヒコはハルミ先生にピースサインをしてみせ、クルリとふり返って階段《かいだん》をかけ下りていった。オレも全速力で階段《かいだん》をかけ上がる。

オレが3階のろうかの電気を消して1階にもどってきたとき、キヨヒコはまだもどっていなかった。そして、キヨヒコが階段《かいだん》をかけ上がってきたとき――あいつの目はこう訴《うった》えていた。「なんでおまえが先にいるんだ⁉」ってね。

オレからすりゃ、すべて作戦通りなんだけど。

「じゃ、先生、行きましょうか。」

こうしてオレたちはハルミ先生を真ん中に、みんなが待つパーティーの会場へ歩いていったんだ。


主人公は、なぜキヨヒコより確実《かくじつ》に早くもどってくる自信があったのだろうか。もちろんエレベーターなどは使っていない。

解説《かいせつ》

注意力のある人ならひっかかることはないはず。１階から３階へは「２階」分だが、１階から地下３階へ行くのは「３階」分の階段《かいだん》を上り下りしなければならない。キヨヒコはうっかり「３階」と「地下３階」は同じ距離《きょり》だとかんちがいしてしまった。キヨヒコとハルミ先生を２人きりにする時間を作りたくない主人公の作戦にまんまとハマったのだ。

お別れパーティーはなごやかに終わり、ハルミ先生は全員に見送られて帰っていった。結局、キヨヒコは告白《こくはく》できずに終わったのである。

31

代理人

危機《きき》→逆転《ぎゃくてん》？

「カーリム・ザリーフ氏は契約条件《けいやくじょうけん》に満足しています。こちらの契約書《けいやくしょ》にはすべてザリーフの署名《しょめい》が入っています。ご確認《かくにん》ください。」

代理人のファーナムが差し出した書類を、わたしはうやうやしく受け取った。

「ありがとうございます。確《たし》かに。」

うちみたいな弱小出版社《しゅっぱんしゃ》が、今、世界的に注目されているカーリム・ザリーフの作品を出版《しゅっぱん》できるなんて夢《ゆめ》のようだ。この本が出たら、アメリカの出版界《しゅっぱんかい》ではちょっとしたニュースになるだろう。

カーリム・ザリーフは、サウジアラビアの新進小説家である。最近まで無名で

――かく言うわたしもアラビア語圏《けん》の小説にはくわしくないので、彼《かれ》のことはまるで知らなかった。さきごろ世界的な文学賞《ぶんがくしょう》でザリーフの長編《ちょうへん》小説『砂《すな》の亡霊《ぼうれい》』が金《きん》賞《しょう》を受賞《じゅしょう》して初めて、あわててイギリスの出版社《しゅっぱんしゃ》が出した翻訳本《ほんやくぼん》を買い求めたのだ。

わたしは一発でザリーフのファンになったが、『砂《すな》の亡霊《ぼうれい》』以外の作品は英語に翻訳《ほんやく》されていない。フランス語やドイツ語、ロシア語などの翻訳本《ほんやくぼん》も出ていないのだ。

あちこち聞き回っているうちに、「ザリーフに興味《きょうみ》を持たれているそうですね？」と、突然訪《とつぜんたず》ねてきたのがファーナムだった。

ファーナムはイギリス人だが、生まれはサウジアラビアだそうだ。アラビア語をはじめさまざまな言語をマスターしており、ザリーフの代理人を務《つと》めているという。そして、まだアラビア語版《ばん》しか世に出ていないザリーフの短編《たんぺん》小説集の契約《けいやく》を持ちかけてくれたのだ。英語で書かれたあらすじを読んで、わたしはすぐに契約《けいやく》を決めた。ぼやぼやしてたら、他の出版社《しゅっぱんしゃ》に先をこされちゃうからね。

「翻訳《ほんやく》はこのアラビア語版《ばん》の本をもとに進めてください。」

ファーナムは本を開いて左から右へと視線《しせん》を走らせると、身を乗り出した。

「印税《いんぜい》の一部をすぐに振《ふ》りこんでいただくお約束の方はだいじょうぶでしょうね？」

ザリーフは今や注目の的ですが……じつは、まだあまりお金が入ってきていないので、彼《かれ》は少々困《しょうしょうこま》っているのです。」

「もちろんですとも！」

わたしとファーナムはかたく握手《あくしゅ》をして別れた。

しかし、この後……わたしはファーナムに疑《うたが》いを抱《いだ》いた。そして、彼《かれ》が本当はザリーフと会ったこともないただの詐欺師《さぎし》であることをつきとめたのである。


主人公は、なぜファーナムが詐欺師《さぎし》だと見ぬいたのだろうか。

解説《かいせつ》

ファーナムは、アラビア語で書かれた本を開いたときに「左から右へと」視線《しせん》を走らせた。主人公はこれに違和感《いわかん》を覚えた。アラビア語はアルファベットと同じように横書きだが、右から左へ読む言語なのである。主人公は、このことからファーナムが本当はアラビア語を読めないことを見破《みやぶ》ったのだ。

主人公はファーナムについての調査《ちょうさ》を探偵《たんてい》に依頼《いらい》し、警察《けいさつ》に通報《つうほう》。ファーナムはザリーフとはまったく面識《めんしき》がなく、主人公にわたした英語のあらすじもデタラメだと判明《はんめい》した。結局、ファーナムが指定した銀行口座《こうざ》から身元が割《わ》れ、彼《かれ》は逮捕《たいほ》されたのである。

32

魚屋のストライカー

解読《かいどく》→結果？


わがフットサルチーム「神田川《かんだかわ》ハーキュリーズ」はがけっぷちに立たされている。

フットサル大会の最終日。今日は2試合行うことになっているんだが、2敗すれば下部リーグ転落が決定する。逆《ぎゃく》に言うと1勝すれば現在《げんざい》の2部リーグに残れるわけで……オレたちの目算では、午前の相手「東野ウォリアーズ」にはよゆうで勝てるつもりでいた。だが、ウォリアーズには強力な新人が入っていて、まさかのボロ負けを喫《きっ》してしまったのだ。

次の相手はリーグ上位の「藤町《ふじまち》キングダム」。オレたちが一度も勝ったことがないチームだ。

「2部リーグに残留《ざんりゅう》するにはキングダムに勝つしかなくなったぞ。」

キャプテンが重々《おもおも》しく言った。アマチュアのおじさんたちの小さなフットサルリーグの戦いとはいえ、オレたちにとっては一大事だ。

だが、実際《じっさい》、キングダムに勝てる目算はない。

キャプテンが、オレの顔をのぞきこむ。

「次の試合は夕方からだし、時間はある。なあ、ソウイチを呼《よ》べないか？」

「オレもそれしかないと思ってたよ。」


オレはユニフォームの上にパーカーを着こむと自転車に飛び乗った。ソウイチは、オレの幼《おさな》なじみで親友だ。ソウイチは高校時代、プロからスカウトが来たくらいのストライカーだった。結局は家業を継《つ》いだけど、今だってあいつのシュートはさびついちゃいない。ときどきチームに参加してもらっているんだが——あいつが加われば百人力だ！

しかし、ソウイチを連れ出すのは至難《しなん》の業《わざ》なんだ。

ソウイチの家は、たくさんの種類の魚を扱《あつか》う魚のおろし問屋だ。寿司屋《すしや》や海鮮料理店《かいせんりょうりてん》の人が買いつけに来るし、一般《いっぱん》のお客さんもやって来る。

ソウイチの親父《おやじ》さんは、30代になっても子どものころと同じノリで息子を誘《さそ》いに来るオレをジャマに思っている。しかも土曜日の昼のいそがしい時間だからなぁ。

さて、どうやって呼《よ》び出すか。


「おじさん、こんにちは！」

オレが顔を出すと、ソウイチの親父《おやじ》さんはイヤそうな顔をした。

「おう。またソウイチを遊びに誘《さそ》いに来たんじゃないだろうな。」

「ちがいますよ。買い物に来たんですってば。」

ソウイチは店の奥《おく》の方で包丁をにぎっている。店内をチョロチョロしているソウイチの息子のヨウちゃんがオレに気づいて手をふってくれた。最近、小学6年のヨウちゃんは店の仕事に興味《きょうみ》しんしんしんらしい。

仕事中はスマホは見られないし、親父《おやじ》さんのいる前で「すぐ来てくれ」なんて言うのは完全アウトだ。そこで、オレは作戦を考えたんだ。

「で、何がほしいんだ？」

「注文リストを書いてきました。」

オレは、ポケットから出した紙をひらひらさせる。

親父《おやじ》さんはオレの手から紙をもぎ取った。これも想定ずみだから、見られてもいいように暗号文にしてきたんだ。

鯨・鰔・鮒・鯉・鰺・鯱・鮊
「なんじゃこりゃ？　わざわざ難《むずか》しい漢字なんか使いやがって。」

親父《おやじ》さんは目を白黒させた。しめしめ。

オレは紙きれを奪《うば》い返すと、ヨウちゃんを手招《てまね》きする。

「ヨウちゃん、これ、パパにわたしてきて。」

「うん、わかった！」

これでひと安心。この暗号はオレとソウイチが子どものころに考え出したものだ。きっと解読《かいどく》して――仕事が一段落《いちだんらく》したらグラウンドに駆《か》けつけてくれるはず！

ところが、紙をちらっとながめたヨウちゃんが「助けを求める手紙なんだね」とつぶやいたから、オレはぶったまげてしまった。

危《あぶ》なかった。親父《おやじ》さんに聞かれなくてよかった。

そう、オレたちが小学生時代に考えたくらいだし——この暗号、大人よりも子どもの方がスラスラ解《と》けちゃうのかもな。


ズバリ、この暗号文を解読《かいどく》してほしい。

解説《かいせつ》

この暗号文はすべて「魚へん」の字だが、「魚へん」を無視《むし》して漢字の右側の「つくり」だけを読めばいい。「鯨・鯎・鮒・鯉・鰺・𩸽・鮊」は「京（ケイ）・成（セイ）・付（フ）・里（リ）・参（サン）・花（カ）・白（シロ）」＝「形勢《けいせい》不利　参加しろ」と読める。ちなみに漢字の読み方は以下の通り。鯨（クジラ）・鯎（ウグイ）・鮒（フナ）・鯉（コイ）・鰺（アジ）・𩸽（ホッケ）・鮊（シラウオ。一般的《いっぱんてき》には「白魚」という表記がよく使われる）。

ソウイチは暗号を解読《かいどく》し、手が空いたタイミングで「配達に行ってきます」と店をぬけ出し、グラウンドに来てくれた。おかげで主人公のチームは強敵《きょうてき》を破《やぶ》ることができたのだ。

33

キツネとタヌキの化かしあい

危機《きき》→逆転《ぎゃくてん》？

深い深い山の中で、1匹《びき》のタヌキが、せっせとクリを集めています。

「これはすばらしい木だなぁ。どれもすごく大きいぞ！」

イガがぱっくり割《わ》れた中から顔を出す、茶色のクリはよく太ってつやつや光っています。

小山になったクリをながめて、タヌローは満足そうにほほ笑《え》みました。

ところが、そこへキツネのコンタが姿《すがた》を現《あらわ》したのです。

コンタは森の不良ギツネです。

（あーあ。イヤなヤツに見つかっちゃったなぁ。）

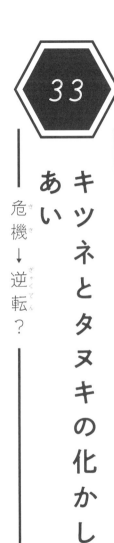

コンタは、タヌローのカゴをながめるとヒューッと口笛を吹《ふ》きました。

「よう、タヌロー。ずいぶんクリを集めたもんだな。焼いて食べたらうまいだろうなぁ。これ、全部オレにゆずってくれないか？」

コンタは、こんなとんでもないことを平気で言うようなずうずうしいキツネなのです。

コンタはニヤニヤしながら言いました。

「そうだ。いいことを考えついたぞ。タダでもらうのも悪いから、すもうの3回勝負で決めるってのはどうだ？　おまえが勝ったらあきらめる。オレが勝ったらクリの実は全部いただく。」

「オレたちが証人《しょうにん》になるぜ！」

気がつくと、いつのまにか近くにコンタの仲間のキツネたちがひかえています。

何か、もめごとの気配を感じ取ったのか、ウサギにリスにシカ、フクロウも集まってきて、2匹《ひき》の様子を見ています。

タヌローがだまっていると、コンタはいきなり飛びかかってきました。

ところが、コンタは勝手にコロリと地面に倒《たお》れます。

「やられたっ！　タヌロー、意外と強いなぁ。まずはタヌローの1勝だ。」

これがコンタの作戦でした。

こんなふうに相手をわざと勝たせて、勝負を続けなければいけない雰囲気《ふんいき》にさせるのです。

タヌローもそんなことはわかってはいたのですが。

「ちょっと待ってよ」と言う間もなくコンタが向かってきて――。

あっという間に2回投げ飛ばされてしまいました。

「コンタの勝ち～！」

キツネたちは拍手《はくしゅ》かっさい。

タヌローはくやしくてたまりません。

（でも、ぼくもコンタのしかけた勝負に乗った形になってしまったからなぁ。今さら文句《もんく》も言えないや……。）

「さあ、タヌロー。約束通り、クリの実を全部わたすんだ。」

コンタは得意満面《とくいまんめん》で、タヌローの前に鼻先をつき出してみせます。

タヌローは肩《かた》を落としましたが、ふっと顔を上げました。

「そうだね。約束は約束だ。」

コンタは「おや?」という顔になります。

「さすがは優等生《ゆうとうせい》のタヌローくんだ。ものわかりがいいな。」

まわりで見ているみんなも、意外そうな顔をしています。

「タヌローくん、コンタにクリを全部取られちゃうの?」

「コンタ、ひどすぎるよね。」

みんなはヒソヒソ声で話していますが、コンタににらまれてあとずさりします。

でも、タヌローくんはサッパリした顔でこんなことを言い出しました。

「まちがいがないように約束を守った証書《しょうしょ》を作っておくよ。」

そして、紙に何やら書きつけると――それをみんなの前で読み上げたのです。

「わたくしタヌローは、コンタさんとの賭《か》けに負けました。約束通り、わたくしが集めたクリの実をすべてコンタさんに差し上げるものとします。」

「おまえ、くそマジメなヤツだなぁ。」

コンタは少しあきれたように言いました。

「ものごとは正確《せいかく》じゃないとね。」

タヌローは、せっせとクリのイガを開き始めました。

コンタは、タヌローのことを「のんきなお人よし」だと心の中であざ笑いました。

このときは、あとで自分が大はじをかくことになるとは思いもしなかったのです。


コンタは、なぜ大はじをかいたのだろうか。

解説《かいせつ》

　タヌローはクリのイガを全部開き、クリのイガだけをカゴにつめてコンタに差し出した。コンタはすぐに「イガだけで中身がないじゃないか」と怒《おこ》ったが、タヌローは「コンタくんは『クリの実をいただく』とはっきり言ったし、そのことは証《しょう》書《しょ》にも書いてある。ここにいるみんなも証人《しょうにん》だ」と言ったのだ。あっけに取られるコンタに、タヌローはこう説明した。「正確《せいかく》にはクリの『実』の部分は、このイガのこと。ぼくたちがふだん『実』と呼《よ》んでるクリは『種』なんだ」と。

　説明を聞いていたみんなはタヌローの機転と知識《ちしき》に感心し、コンタは引き下がらざるを得《え》なくなったのである。

　わたしたちは、植物の「実」ばかり食べているかというとそうでもない。たとえばリンゴやミカンは実を食べて、種は食べない。トマトやキュウリの場合は実も種も両方食べている。実は食べず、種の部分を食べるものには、クリのほかにお米（稲《いね》）や枝豆《えだまめ》などがある。

34

除《じょ》夜《や》の鐘《かね》

理由→なぜ？

一年の終わりの日ってワクワクする。あたしの場合、一年の始まりの元旦《がんたん》より大みそかの方が好きかもってくらい。

大みそかの夜は毎年、新しい年に変わる瞬間《しゅんかん》まで起きてようとがんばるんだけど。不思議なことに、いつもあとちょっとってとこで寝《ね》ちゃうんだよね。テレビでお坊《ぼう》さんが除《じょ》夜《や》の鐘《かね》をつくのを見てるうちにコトッと寝《ね》ちゃうんだって、パパやママによれば。あの「ゴーン」って音、落ち着くよね。そのせいなのかな。

でも、もう10歳《さい》になったんだもん。今年こそ絶対《ぜったい》起きてるって決意してたらさ。「除《じょ》夜《や》の鐘《かね》をつきに行かない？」って、仲よしのリコのママが誘《さそ》ってくれたんだ。

だれでも鐘《かね》をつかせてもらえるお寺があるんだって。

それで、あたしはリコとリコのパパとママといっしょにお寺にやってきたんだ。

「始まるまで、あと1時間くらいあるわよ。寒いから車の中にいたら？」

リコのママにこう言われたけど、あたしとリコはなんだかソワソワして外に飛び出した。でも……ほんとに寒い！　寒い寒い寒い！

あまりの寒さにリコと抱《だ》きあって「ううううう～」ってうなってたら、通りかかったお坊《ぼう》さんに笑われちゃった。

「あったかそうなダウン着てるのに寒がりだね。背中《せなか》を丸めるとよけい寒くなるよ。」

だってさ！

「だってー寒いもんは寒いもん！」

あたしの文句《もんく》を聞き流して――スタスタ歩いていくお坊《ぼう》さんは、つり鐘《がね》のある石《いし》段《だん》を上がっていく。お寺の鐘《かね》って大きいね。２メートルくらいあるかな？

「っていうかさ……リコ、あれなんだろ？」

あたしは、つり鐘《がね》の下に台があるのに気づいた。台の上に何かのっかってるみたい。あのお坊《ぼう》さんが、そこに手をかざしてる。

「ストーブだ！　お坊《ぼう》さん、あたしたちのこと『寒がり』なんて言ったくせに、自分はあんなとこにストーブかくしてるよ〜。自分たちだけずるくなーい？」

リコに言ったつもりだったんだけど、あたしの声は思ったより大きかったみたいで、まわりの人たちも爆笑《ばくしょう》してる。まさかの大ウケ⁉

そしたら、お坊《ぼう》さんがあわてた顔で下りてきた。

「こらこら、誤解《ごかい》を招《まね》くようなことを言われちゃこまるなぁ。このストーブは、わたしたちがコッソリ暖《あたた》まるために用意したんじゃないんだよ。」


つり鐘《がね》の下にストーブが用意されている理由は何だろうか。

ストーブを置いていたのは、鐘《かね》を温めるため。温めると鐘《かね》の響《ひび》きがよくなるためである。大みそかの夜から元旦《がんたん》の朝にかけてつく除夜《じょや》の鐘《かね》を温める習慣《しゅうかん》は各地にある。この習慣《しゅうかん》を約400年前から欠かさない寺もあるそうだ。ストーブがない昔はたき火を用いた。金属《きんぞく》でできている鐘《かね》はカンカンに熱くなるので、温まった鐘《かね》にはさわらないことだ。

しかし、本当に音がよくなるのか？　どんな音が「いい音色」かは好みが分かれるが、音が変化するのは本当だ。たとえば鉄棒《てつぼう》や金属《きんぞく》の器《うつわ》を温めて棒《ぼう》でたたいてみると、冷たいときとは音の質《しつ》が変わっているのがわかる。音は、空気の振動《しんどう》で伝わる。「鐘《かね》ではなく、鐘《かね》の中の空気を温めている」という主張《しゅちょう》もあるようだが、どちらにしろ音色に影響《えいきょう》を与《あた》えるのはまちがいないだろう。

お坊《ぼう》さんはみんなに説明したのち、主人公たちを呼《よ》んでストーブにあたらせてくれた。お坊《ぼう》さんは否定《ひてい》したが、暖《だん》を取るメリットも当然あるわけなのだ。

35

神のお告《つ》げ

成功→なぜ？

ときは戦国時代——今から400年以上昔のこと。

天下統一《とういつ》を果たした豊臣秀吉《とよとみひでよし》はさらなる野望を胸《むね》に抱《いだ》いていた。たくさんの兵を引き連れてやってきたのは、安芸国《あきのくに》（現在《げんざい》の広島県）の厳島《いつくしま》神社である。

本拠地《ほんきょち》である肥前名護屋《ひぜんなごや》（現在《げんざい》の佐賀県唐津市《さがけんからつし》）の城に向かうとちゅうで、この有名な神社に立ち寄《よ》ったのにはわけがある。明《みん》（現在《げんざい》の中国）との戦いの前に、お参りをする目的である。

秀吉《ひでよし》は、尊敬《そんけい》する織田信長《おだのぶなが》の悲願を継《つ》ぐような形で天下統一《とういつ》を実現《じつげん》した。そして

「次のねらいは中国大陸」と、大きな目標をぶち上げたのだ。

しかし、家臣のなかには不安を持っている者も多かった。

「海をこえて朝鮮《ちょうせん》半島から大陸にわたるのは大ごとだ。」

「もっと念入りに計画を立ててから出兵した方がよかったんじゃないか？」

「本当に勝ち目があるんだろうか……。」

こうしたささやきは秀吉《ひでよし》の耳にも入っていた。

（心をひとつにして戦わなければならないときに、気持ちに迷《まよ》いがあっては勝てるわけがない。）

秀吉《ひでよし》はお参りをすませると、背後《はいご》にひかえているみんなをちらりと見やった。それから、重々《おもおも》しくこう言ったのである。

「ここにお賽銭《さいせん》として１００枚《まい》の永楽通宝《えいらくつうほう》（貨幣《かへい》）を用意してきました。わたしたちが明《みん》に勝つなら、表面が多く出ますように。」

言い終わるなり、秀吉《ひでよし》は一気に貨幣《かへい》を投げた。宙《ちゅう》を舞《ま》い、バラバラと地面に落ちた貨幣《かへい》を見て――一同は目をみはる。

「こっちは表だ！」「あれもこれも表だ！」「全部表を向いてるぞ！」

この貨幣《かへい》は、表には「永楽通宝《えいらくつうほう》」という4文字が刻《きざ》まれているが、裏《うら》にはもようがないので一目で表裏《おもてうら》がわかる。驚《おどろ》き、喜《よろこ》びの声を上げるみんなを前に、秀吉《ひでよし》は深々《ふかぶか》とうなずいた。

「おお、神が奇跡《きせき》を見せてくれた！　われらの勝利は約束されたのだ！」

秀吉《ひでよし》の声に続いて一同は勇ましくおたけびを上げた。神社を出て、歩き始めた者たちの顔からは不安の色は消え、自信がみなぎっていたのである。

100枚《まい》もの貨幣《かへい》が全部表向きになったのはなぜだろうか。

解説《かいせつ》

秀吉《ひでよし》はあらかじめ、貨幣《かへい》を2枚《まい》ずつのりで貼《は》り合わせておいたのである。これは史実《しじつ》をもとにした話。昔は戦《いくさ》にかぎらず、重要なものごとを行う前に占《うらな》いを行うことが多かった。秀吉《ひでよし》は「奇跡《きせき》」を自分で演出《えんしゅつ》したわけである。

もちろん、からくりに気づいた者もいたはず。しかし、「じつは仕込《しこ》み」だとバレても、みんなが盛《も》り上がったことは事実。景気のいいパフォーマンスでみんなの士気《しき》は高まっただろう。ちょっとアホらしいようだが、リーダーにはこうした知恵《ちえ》も必要なのだ。

ただし、こうして臨《のぞ》んだ明《みん》への出兵は「大勝利」とはいかなかったそう。明《みん》に行くとちゅうの朝鮮国《ちょうせんこく》（現在《げんざい》の韓国《かんこく》、北朝鮮《きたちょうせん》）が戦場となったこの戦いは「文《ぶん》禄《ろく》の役《えき》（1592〜1593）」「慶長《けいちょう》の役《えき》（1597〜1598）」の2回にわたった。「慶長《けいちょう》の役《えき》」の最中に秀吉《ひでよし》が病死したことをきっかけに、勝敗はつかないまま戦いは終息している。

36

一瞬《いっしゅん》の判断《はんだん》

危機《きき》→逆転《ぎゃくてん》？

「待て待て待て～い！」

今井伊勢守《いせのかみ》は、勇猛果敢《ゆうもうかかん》に馬を駆《か》っていた。

ときは戦国時代。全国各地の武将《ぶしょう》たちは、日々《ひび》戦いに明け暮《く》れていた。幕府《ばくふ》の力がおとろえ、世の中が混乱《こんらん》している状況《じょうきょう》にあっては、「武力《ぶりょく》」がものを言う。身分は高くなくても力のある者がのし上がれる――戦国時代はそんな時代だったのだ。

今井が参戦したのは、武田信玄《たけだしんげん》と村上義清《むらかみよしきよ》の間で起こった「砥石《といし》城の戦い」である。

今井は、武田信玄《たけだしんげん》の軍についていた。いつのまにか、味方の兵たちとバラバラになってしまい、どこへ向かったものかと思っていると。

ちょうどよく、徒歩でノコノコ撤退《てったい》しようとしている敵《てき》の兵の姿《すがた》を見つけたのである。

（あいつは手ぶらで武器《ぶき》も持ってない。これはチョロいぞ！）

敵兵《てきへい》は近づいてくる声に気づいて、けん命に走り出す。

「ははは！　走ったって逃《に》げ切れるわけがない、ばか者め、こっちは馬だからな！」

ところが、急に敵兵《てきへい》は地面にかがみこんだのである。

（む？　どうしたんだ？　あきらめたのか？）

いや、そうではなかった。敵兵《てきへい》は、だれかが落としていった槍《やり》を拾うためにかがんだのである。そして、彼《かれ》は槍《やり》をまっすぐにかまえて、今井の方に向かってきたのだ。

（やばい！）

今井は青くなった。じつは、馬に乗ったまま戦うのは難《むずか》しい。地上から槍《やり》のような長い刃物《はもの》を向けられた場合はかなり不利なのである。

今井はあたりを見回した。味方の姿《すがた》はない。

(馬を捨《す》てて逃《に》げるか？　そりゃ、みっともなさすぎる。末代まで笑い者になってしまう。信玄殿《しんげんどの》にも目をかけられているわたしが、あんな、どこの者ともわからない下っぱの兵士《へいし》に命を取られるわけにはいかん！　しかもこんな地味な場面で……！)

今井はあせりまくったあげく、今とるべき行動をみちびき出した。

そして、指一本動かさず——たった一言でピンチを切りぬけたのである。

今井は何と言ってこのピンチを切りぬけたのだろうか。

解説《かいせつ》

今井伊勢守《いせのかみ》は、敵兵《てきへい》に「おお、ご苦労」と、上官のふりをして声をかけたのである。戦《いくさ》にはたくさんの兵士《へいし》が参加するので、よほど有名なえらい人でなければ味方の上官だってわからない。戦《いくさ》によって、だれにつくかが変わることも珍《めずら》しくないので、身につけているもので見分けるのも難《むずか》しかったようだ。

敵兵《てきへい》は、「なんだ、味方だったのか！」と思い、うやうやしくあいさつをした。そうしている間に、今井の味方が近づいてきたので、今井は彼《かれ》らに命じてこの敵兵《てきへい》を討《う》ちとらせてしまったという。

これは実話をもとにした話。セコいようだが、戦国時代の合戦はカッコいい話ばかりではない。ケガをしたふりをし、油断《ゆだん》した敵《てき》が近づいてきたところで襲《おそ》いかかるのは当たり前。「援軍《えんぐん》だ」とウソをついて敵《てき》の陣地《じんち》に入りこむなどのだまし討《う》ちもたくさん行われていたそうだ。

37

墓《ぼ》地《ち》に咲《さ》く花

理由→なぜ？

冷たい風がかすりの着物のすそをゆらして、オレは身ぶるいした。

この夏はまるで夏らしくなかった。

雨ばっかりで、すずしいどころか寒いくらいの日もあって。稲《いね》が育たなくて……

じっちゃまもばっちゃまも、父ちゃんも母ちゃんも不安そうだった。

オレだってもう12歳《さい》だもの。事態《じたい》がだいぶ深刻《しんこく》なのはうすうすわかっていた。

でも、本当に心配になってきた。父ちゃんは「よその地域《ちいき》から食料を分けてもらえる」って言ってたけど、本当かなぁ。それがとどく前に飢《う》え死にする可能性《かのうせい》もあるんじゃないか。

オレが生まれるずっと前にもこういう凶作《きょうさく》の年があったんだって。じっちゃまが教えてくれた。

「作物がまったくとれなくて、餓死《がし》した人も多くてな。冬には雑草《ざっそう》だって木の根っこだって、食べられるものはなんでも食べたもんじゃ」って。

でも、草なんか食べなくたって、山にはいろんな食べ物があるじゃないか。

イノシシをつかまえるとかさ。きのこや木の実だって。

そう思って一人で歩いてきたんだけど。

カキの木は小さな青い実ばっかりだ。

クリも去年より小ぶりに見える。

こういう貴重《きちょう》な食料を野生の動物とうばいあうってわけか。たいへんだぞ。

山を歩いているうちに墓地《ぼち》の近くに来たから、ついでにお参りしていくことにした。

春までみんなが無事に過《す》ごせるように、ご先祖《せんぞ》様にしっかりお願いしておこうと思ってさ。

山道のわきに咲《さ》く赤い花が目に入って、オレはいやな気持ちになった。

そうか、ヒガンバナの季節なんだな。この花、なんか苦手なんだ。

突然《とつぜん》そこに現《あらわ》れたみたいにピンと立って真っ赤な花を咲《さ》かせてさ。こいつら、花の姿《すがた》をした妖怪《ようかい》なのかも、なんて想像《そうぞう》がふくらむ。

ヒガンバナって根っこに毒《どく》があるんだって。小さいころから、父ちゃんや母ちゃんからにそう聞かされてる。

それと関係あるのかわからないけど、「摘《つ》むと悪いことが起こる」ともいわれてるんだって。

まあ言われなくたって、摘《つ》んで飾《かざ》ろうなんて気にはならないな。

やたらと墓地《ぼち》にいっぱい咲《さ》いてて不気味だから。

この赤は人の血を吸《す》い上げてるせいだったりしてさ……。「死人花《しびとばな》」とか「地獄《じごく》花《ばな》」なんて呼《よ》ぶ人もいるくらいだからな。うへぇ、うす気味悪いや。

オレはふと足を止めた。

真っ赤な花の中にしゃがみこんでいる人がいたからだ。

まさか、墓《はか》を荒《あ》らしてるのか？　いや、そうじゃない。

ヒガンバナを掘《ほ》り起こしてるんだ。

その背中《せなか》は――。


ゲンじいさんがゆっくり振《ふ》り返った。

山のふもとに一人で住んでるゲンじいさんとは、まったくしゃべったことがない。いつもむっつりしてて近寄《ちかよ》りにくいから。

そして、今は……ふだんよりもっとこわい顔でオレをにらみつけてる。

逃《に》げ出そうとしたけど、足が動かない。

ゲンじいさんは手にヒガンバナを持って立ち上がり、こっちに近づいてくる。

花の根元の、どろだらけの丸い球根がブラブラゆれる。

「おい……このことはだれにも言うな！」

「う、うん。言わないよ。」

オレはどうにかそれだけ言うと、夢中《むちゅう》でかけ出したんだ。

ゲンじいさんはどうしてヒガンバナを掘《ほ》り返してたんだろう。

ヒガンバナの毒《どく》を使ってだれかを殺《ころ》そうとしてるんじゃないか。

もし、村でだれか急に死んだりしたら、オレだけが犯人《はんにん》を知ってることになっちゃうのか？

約束通りだれにもしゃべらずにビクビクして過《す》ごしたけど、オレが想像《そうぞう》したような事件《じけん》は起こらなかった。

それどころか、ゲンじいさんは村の英雄《えいゆう》としてみんなに尊敬《そんけい》されるようになったんだ。


ゲンじいさんは、なぜヒガンバナを掘《ほ》り返していたのだろうか。「村の英雄《えいゆう》」とされたことから推理《すいり》してみてほしい。

解《かい》説《せつ》

ヒガンバナが墓地《ぼち》に植えられるようになったのは、墓《はか》を荒《あ》らすネズミやモグラなどを球根の毒《どく》で撃退《げきたい》するため。また、古くからヒガンバナが盛《さか》んに植えられたのは、凶作《きょうさく》で食料が不足したときのための対策《たいさく》だったという。球根に毒《どく》があるものの、ていねいに毒《どく》をぬけば食用になった。デンプンが豊富《ほうふ》で栄養があるので、餅《もち》やだんごにしたり雑穀《ざっこく》と混《ま》ぜて食べられていたという。ゲンじいさんは、村人たちに分け与《あた》えるためにヒガンバナを掘《ほ》り返していたのだ。主人公に「だれにも言うな」と言ったのは、子どもがうっかり毒《どく》ぬきをせずに食べてしまわないため。「ヒガンバナを摘《つ》むと悪いことが起こる」といわれるようになったのは、大切なヒガンバナをいたずらに引っこぬかれないためとも考えられている。墓地《ぼち》は洪水《こうずい》などがあったときに流されないよう高台につくられることが多い。災害時《さいがいじ》の避難《ひなん》場所にもなる墓地《ぼち》にヒガンバナを植えるのは理にかなっていたわけだ。ちなみに球根の毒《どく》ぬきはとても難《むずか》しい。絶対《ぜったい》にヒガンバナの球根を食べたりしないように！

38

ぼくは容疑者《ようぎしゃ》

理由→なぜ？

スマホの画面が光ってメールの着信を知らせる。

「今夜いっしょに夕食に行かないか？」

ライアンからの誘《さそ》いだ。

「OK《オーケー》！　じゃあ6時にいつものバッファロー・ガーデンで。」

ぼくはすぐに返信すると、スマホをしまった。

よかった。今日はだれか友だちとしゃべりたい気分だったんだ。

といっても、今、ぼくに連絡《れんらく》をしてくれる友だちはライアンしかいないのだが。

大好きだった父さんが車の事故《じこ》で亡《な》くなって。

ショックで寝《ね》こんでしまった母もようやく起きられるようになり、ちょっとずつ日常《にちじょう》を取りもどしていけると思っていたのに。

まだ悲しみの中にいる自分が、さらにひどい目にあうなんてね。

ぼくは今、実の父を殺《ころ》した容疑者《ようぎしゃ》として——車の事故《じこ》を仕組んだ疑《うたが》いをかけられている。

ぼくが、父さんの社長の地位や遺産《いさん》を手に入れるために、事故《じこ》に見せかけた殺人《さつじん》を計画したという説がいつのまにか広まっていたんだ。

後ろ暗いことはまったくないから、どんなうわさを立てられたって堂々《どうどう》としていればいい。捜査《そうさ》が進めば、そのうち容疑《ようぎ》は晴れるんだから。

だけど、何がつらいって……うわさが広まるにつれて、親しい友だちに距離《きょり》を置かれるようになったことだ。

会社ではその話題を出す人はいないけど、同僚《どうりょう》たちはどこかよそよそしい。

父さんの葬儀《そうぎ》に来て「オレにできることがあったらなんでもするよ」と言ってく

れたあいつは——街で見かけて声をかけようとしたらスッと目をそらした。行きつけのダーツバーの前を通りかかったとき、ガラスごしに仲間たちの姿《すがた》が見えた。いつも、いっしょに集まってたメンバーがそろっている。ぼくは誘《さそ》わないことにしたってわけだ。

そんなとき、連絡《れんらく》をとってきたのがライアンだった。

ライアンは、大学時代のサークルの仲間だった男だ。当時も卒業後も、それほど仲よくしてたわけじゃないから驚《おどろ》いたけど。

「たいへんな状況《じょうきょう》らしいな。オレでよければ話を聞くよ」って言われて——うれしかったね。胸《むね》にたまったいろんな思いをだれかにはき出したかったから。

それで、ぼくはライアンとひんぱんに会うようになったんだ。

大学時代はどっちかっていうと、彼《かれ》のことはあまり好きじゃなかった。なんか、ずるいヤツっていうイメージがあったんだ。部長とか、発言力のある先輩《せんぱい》におべっかをつかってるみたいに見えて。

でも、こうしてよく会うようになってみると、いいヤツだってわかった。

変に父さんの話題をさけたりすることもしない。ぼくが容疑者扱《ようぎしゃあつか》いされてることを、「実際《じっさい》どうなの？」と、ズバリ聞いてくるのもむしろ気持ちがいい。

そして……ついに疑惑《ぎわく》の目にさらされた苦しい日々《ひび》は終わった。車に細工をした真犯人《しんはんにん》が見つかったんだ。その男は、父さんにうらみを持っていた人物で、犯行《はんこう》をすっかり白状《はくじょう》したという。

事故死《じこし》ではなく、殺《ころ》されたと思うと複雑《ふくざつ》な気持ちではあったが、ぼくの潔白《けっぱく》が証明《しょうめい》されたのはありがたい。

疎遠《そえん》になっていた友だちも「正直、おまえを疑《うたが》っていた。ごめん」と謝《あやま》ってくれたり、「どう接《せっ》していいかわからなくて避《さ》けてしまった」とすなおに話してくれたりした。

「うん。もう気にしてないよ。」

ぼくは久《ひさ》しぶりに仲間と集まり、容疑者扱《ようぎしゃあつか》いされていた間のことをみんなに話した。みんなは、ライアンに興味《きょうみ》を持ったようだった。

「へえ、オレもあのライアンってヤツは好きじゃなかったけど。意外といいところもあるんだな。今度、呼《よ》んでみるか？」

「みんながよければ、今誘《さそ》ってみるよ。」

しかし、不思議なことにライアンから返信はなかった。どうしたんだろう。あんなに仲よくしてたのに、ぼくの無実が証明《しょうめい》されたのを喜《よろこ》んでくれないのか？

この疑問《ぎもん》をぶつけると——友人の一人はこう言ったのである。

「ライアンはきみを犯人《はんにん》だと思ってたんじゃないか？　正確《せいかく》には『犯人《はんにん》であってほしい』って……。」

主人公の容疑《ようぎ》が晴れると、ライアンからの連絡《れんらく》はとだえた。ライアンが主人公と会っていた理由を推理《すいり》してほしい。

解説《かいせつ》

ライアンは、主人公が犯人《はんにん》であることを望んでいた。ライアンが急に主人公に接《せっ》近《きん》した理由はひとつ。主人公から父親との関係や家族のエピソードなどをたっぷり聞き出し、主人公が逮捕《たいほ》されたのちには雑誌《ざっし》に「犯人《はんにん》の素顔《すがお》」「犯人《はんにん》の私的《してき》エピソード」として売りつけたかったのだ。ライアンは、容疑《ようぎ》が晴れた主人公には用がなかったのである。

ゴシップ系《けい》の雑誌《ざっし》では、注目を集めている人物の個人的《こじんてき》なエピソードやプライベートな写真などを高いお金で買い取ることがある。そのこと自体が良いか悪いか、必要があるかどうかはケースによって異《こと》なり、一言では言い切れない。だが、主人公に親切なふうを装《よそお》って近づいてきたライアンは最低の人物である。

39

お楽しみ会

危機《きき》↓なぜ？

「先生、お楽しみ会の出し物を考えたんで、見てもらえますか？」

ナガタ先生が顔を上げると、新しく5年3組のレクリエーション係になった生徒たちが並《なら》んでいた。

「おっ、はりきってるな。」

ナガタ先生は、リーダーのタイシが差し出した紙を受け取った。箇条書《かじょうが》きで出し物のタイトルが書かれている。

「ジェスチャーゲーム、風船バレー……この大食い競争っていうのは？」

「ホットドッグの大食い競争です。」

タイシは目を輝《かがや》かせて言ったが、先生はきびしい顔つきだ。

「これはダメだ。大食い、早食いは食べ物がのどにつまって窒息死《ちっそくし》する危険《きけん》があるんだ。絶対《ぜったい》にやっちゃダメだよ！　実際《じっさい》に、給食のときにふざけてパンの早食いをしようとして亡《な》くなった子どももいるんだからね。」

先生は一生けん命に説明をした。

「はい、わかりました。」

みんなは神妙《しんみょう》な顔で返事をしたが、タイシはあきらめきれないようだ。

「じゃあ、ホットドッグじゃなくてジュース飲み競争だったらどうですか？　液体《えきたい》ならのどにつまらないし。」

「それもダメ！　甘《あま》いジュースを短時間でたくさん飲むのは体に悪いんだ。大量の糖分《とうぶん》を一気にとると血糖値《けっとうち》（血液中《けつえきちゅう》を流れるブドウ糖《とう》の濃《こ》さ）が上がる。そうすると、体の中で血糖値《けっとうち》を下げようとする働きが起こって、危険《きけん》な症状《しょうじょう》を引き起こすこともあるんだよ。」

先生はまたまた熱弁《ねつべん》した。みんなは深くうなずきながら聞いているが、やっぱりタイシは不満そうである。どうしても大食い競争をやりたかったのだ。

そこで――タイシはまた何か思いついたらしく、ニヤニヤしながら口を開く。

「わかりました。それなら、水飲み競争ならいいでしょ？」

だが、先生は目をカッと開いて言ったのだ。

「水だって？　とんでもない。それこそ命が危《あぶ》ないよ！」


先生は「水をたくさん飲む競争は命にかかわる」という。本当だろうか。

解説《かいせつ》

食べ物やジュースとちがって「水ならどんなに飲んでも健康を害することはないのでは?」と思ったら大まちがい。人間が生きていく上で水は必要不可欠《ふかけつ》だが、「短時間で大量に飲む」のはとても危険《きけん》なのである。水を急激《きゅうげき》にとると血液中《けつえきちゅう》のナトリウム濃度《のうど》(塩分の濃度《のうど》)が低下してバランスがくずれる。おしっことして水を体外に出す機能《きのう》も追いつかなくなり、「水中毒《ちゅうどく》」を起こしてしまうのだ。重症《じゅうしょう》になると呼吸困難《こきゅうこんなん》や意識障害《いしきしょうがい》を起こす可能性《かのうせい》がある。海外では、水飲みコンテストで7リットルの水を飲み、水中毒《ちゅうどく》で亡《な》くなった人がいる。水もとり方によっては有害になるのだ。水はたくさん飲むほど健康やダイエットに有効《ゆうこう》と信じて、水中毒《ちゅうどく》になった例もある。

ただし、ふつうに「飲みたい量を飲む」レベルでは水中毒《ちゅうどく》になるほど飲めやしないのでご心配なく。日常《にちじょう》の水分摂取《せっしゅ》は少しずつこまめに、塩分補給《ほきゅう》しながら飲むこと。甘《あま》い清涼《せいりょう》飲料水は、たまに飲むくらいにしよう。

40

9枚《まい》のメモ

解読《かいどく》→結果？

祖父母《そふぼ》が旅行中に自動車の事故《じこ》で急死したという知らせを受け、オレは父さんから「ソウスケおじさんに連絡《れんらく》を取る」役目をうけおった。父さんは喪主《もしゅ》をつとめなければならなくて大いそがしだから。

なにしろソウスケおじさんというのは——どこで何をやって生きてるのかわからないナゾの男なのだ。若《わか》いころは詩人志望《しぼう》だったという。55歳《さい》の今まで会社に就職《しゅうしょく》したり辞めたり、また就職《しゅうしょく》したり。まったく消息がつかめなくなるのはざらだ。この前会ったのは3年前。「結婚《けっこん》してスイスで暮《く》らしてたけど、離婚《りこん》して日本に帰ってきた。スイスみやげを渡《わた》したいから、家まで取りに来い」なんて言ってきたんだ。

ソウスケおじさんは、じつの兄弟である父さんともほかの親せきとも顔をあわせたがらない。ソウスケおじさんが連絡《れんらく》してくるのは、オレくらいなのだ。まあ、ごくたまにだけど。小さいころ、ソウスケおじさんから推理《すいり》小説や詩の本をいっぱいもらったりして、話があったせいなのか。

しかし、電話もメールも通じない。だけど、ダメもとで3年前に訪《おとず》れたアパートを訪《たず》ねてみたら、まだそこに住んでるじゃないか。とはいえ、留守《るす》なので、置き手紙を入れて帰ろうと思ったとき。後ろから声をかけられたんだ。

「ハマダソウスケさんのお知りあいの方ですか？」

ヒロセと名乗った男の人は、ソウスケおじさんの同僚《どうりょう》だそうだ。

「ハマダソウスケさんが連絡《れんらく》もなしに出社してこなくて……電話もつながらないので心配になって訪《たず》ねてきたんです。」

そこで、オレたちは大家さんに連絡《れんらく》を取り、部屋に入れてもらったのだ。

部屋はもぬけの殻《から》だった。

「先週末、『山に行く』って言ってたんですけど。まだ帰ってきてないみたいですね。」

ヒロセさんは、雑然《ざつぜん》とした部屋をキョロキョロ見回した。確《たし》かに、帰ってきたのならリュックとかが散らかっていてもよさそうだもの。

「これはなんでしょうね？」

ヒロセさんが、机《つくえ》の上に散らばっているメモに目をとめた。

1枚《まい》の紙に、1つの言葉が書かれている。それが9枚《まい》。

ヒトリシズカ

ミヤコワスレ

アキー

アクマノツメ

ジジババ

アヤメ

ジゴクノカマノフタ

ユキノシタ

シノブ

まるで意味不明だが……。オレはハッとした。もしかしてこれはソウスケおじさんのメッセージかも。子どものころ、ソウスケおじさんにもらった推理《すいり》小説の中にそんなエピソードがあったんだ。一語ずつではバラバラに見えるが、つなげると意味のある文章になるっていう。文章っていうか、詩か？

ソウスケおじさんはオレがここに来ることを見こして、こんなやり方をしたんじゃないか？

机《つくえ》の上でメモを何度も並《なら》べかえながら、オレが解読《かいどく》した文章はこうだ。

「悪魔《あくま》の爪《つめ》、ジジババ殺《あや》め、地獄《じごく》の釜《かま》のフタ、開《あ》き、都忘《みやこわす》れ、一人静か、雪の下、しのぶ」。

ソウスケおじさんは自分の手でおじいさんとおばあさんを殺《ころ》したのではないか。その罰《ばつ》を受けるため、町をはなれて冬山に向かい、遭難死《そうなんし》を選ぶ。そう解釈《かいしゃく》すると、いろいろつじつまがあう。

何かトラブルがあって腹《はら》を立て、衝動的《しょうどうてき》に事故《じこ》を仕組んで祖父母《そふぼ》を殺《ころ》したというのはありえなくはない。こんなこと、知りたくなかった！

父さんになんて言ったらいいんだ？　それともオレの胸《むね》に秘《ひ》めておくべきか？

オレは眠《ねむ》れぬ夜を過《す》ごした。

だから、翌日《よくじつ》——ひょっこり山から帰ってきたソウスケおじさんと会って、オレの推理《すいり》が見当ちがいだったとわかるとホッとして腰《こし》がぬけそうになったんだ。

ソウスケおじさんが両親を殺《ころ》したと思ったのは主人公の誤解《ごかい》だった。このメモにはどんな意味があったのだろうか。

解説《かいせつ》

メモに書かれた9つの言葉は、じつはすべて植物の名前である。ソウスケおじさんは植物にこっていて、興味《きょうみ》のある木や花の名を書きつけておいた。ただ、それだけだったのだ。ソウスケおじさんが行方《ゆくえ》不明になっていることと、「詩人志望《しぼう》」「推《すい》理《り》小説好き」という要素《ようそ》を結びつけた主人公が深読みした結果、ぐうぜんに意味が通る文章になってしまったというわけ。どんな植物なのか、興味《きょうみ》のある人は調べてみてほしい。

ソウスケおじさんは冬山で吹雪《ふぶき》にあって帰れなくなり、連絡《れんらく》もできない状態《じょうたい》だったのだ。主人公の「深読み」を聞いたソウスケおじさんは、拍手《はくしゅ》をしてほめたたえたという。

41

山の上のお城

成功↓なぜ？

「戦国時代」と呼《よ》ばれる時代は、日本のいたるところで戦《いくさ》が絶《た》えなかった。政治《せいじ》の中心をになう幕府《ばくふ》が力を失って世の中が不安定になり、地方の大名たちにもトップを目指すチャンスが生まれたのだ。それには、まずよその城を攻《せ》め落として自分の領地《りょうち》を拡大《かくだい》すること。領地《りょうち》こそ権力《けんりょく》の証《あかし》なのだから。

戦《いくさ》に勝つために必要なのは、もちろん攻撃力《こうげきりょく》である。だが、逆《ぎゃく》に「守りをかためて勝つ」という考えの者もいた。

大森公という殿様《とのさま》がわざわざ山の上に城を築《きず》いたのも「守って勝つ」ためである。

「山の上なら、敵《てき》が近づいてくるのが丸見えだからな。」

大森公は自信ありげに言った。

敵《てき》の姿《すがた》が見えたら矢を放ったり、石を投げれば相手は近づくことはできない。

「負けさえしなければ、いつかは勝つんだ！」

しかし、大森公の城をねらう敵軍《てきぐん》の坂下公だって、そうかんたんにあきらめはしなかった。

坂下公は、山の上の城に立てこもる作戦の弱点を見ぬいていた。

「いいか、城に立てこもって敵《てき》を追っ払《ぱら》うだけでは限界《げんかい》がある。どうしてかわかるか？」

家臣がすぐさま答えた。

「いずれ食糧《しょくりょう》が足りなくなるからでしょうか？」

「いや、食糧《しょくりょう》はその気になればかなりためこむことができる。調達が難《むずか》しいのは水だ。」

みんなは「なるほど」という顔で主君をながめた。

坂下公は地図を示《しめ》しながら、さらに続ける。

「山の上の城はそこが弱点だ。あいつらは川から城の近くに水路を引いている。この水路をうめてしまえば水源《すいげん》は断《た》たれるわけだ。山では、地面を掘《ほ》っても井戸水なんか出ない。雨が降《ふ》らなければ、水はつきる。人間は水がなければ生きていけないからな。弱ったところを見計らって攻《せ》めこめば、かんたんに落とせるぞ。」

かくして坂下公の家臣たちは、山の上の城に続く水路をうめてしまった。

びっくりしたのは大森公たちだ。

「やられた！　水路を断《た》たれるとは。」

城にたくわえてある水は底をつきそうだ。水をくみに城をはなれたら、相手の思うつぼである。

「くそっ。米はまだまだたくさんあるのに。水がないんじゃ……。」

「もう少しねばって立てこもれば、一時退却《たいきゃく》すると思ったのに。」

みんなが主君を囲《かこ》んで頭をかかえる中、家臣の一人が顔を上げた。

「いや、あきらめるのはまだ早い。わたしに考えがある！」

その日。坂下公の見張《みは》り番は、不可解《ふかかい》な顔で仲間の元に走ってきた。

「おかしいぞ！　あいつら、じゃんじゃん水を使ってるんだ！」

「なんだって？　水路は完全にせき止めたのに……ほかに水源《すいげん》があったのか？」

見張《みは》りをしていた男は、息せききって話した。

「馬にひしゃくで水をかけて洗《あら》っているのを、この目で見たんですよ！」

「もしかして井戸を掘《ほ》り当てたのか……？」

坂下公はみんなの顔を見回して、くやしそうにため息をついた。

「わざわざ馬の体を洗《あら》うなんて、よほど水によゆうがある証拠《しょうこ》だ。この状況《じょうきょう》がどれくらい続くかわからないのにずっと城のまわりにはりついているんじゃ、こっちの食糧《しょくりょう》がもたない。いったん退却《たいきゃく》して、作戦を練り直しだ。」

「しかたがありませんね……。」

結局、坂下軍はこの城をあきらめることになったのである。

大森公の城では確《たし》かに水が不足していた。いったい何が起こったのだろうか。

解説《かいせつ》

山の上の城では水は不足していたが、米はたっぷりあった。そこで、大森公は馬にひしゃくで米をザーザーかけて、水をかけているように見せかけたのである。これは、戦国時代に実際《じっさい》にあったと語り伝えられる話をモデルにしたもの。なんと似《に》たようなエピソードは全国各地に80話ほど残っており、まとめて「白米城伝説《はくまいじょうでんせつ》」と呼《よ》ばれている。もっとも、米を水に見せかけることに成功した話の方が少ないそうだ。だませたものの、「山に住んでいたおばあさんが敵方《てきがた》に細工をばらしてしまった」「米をまいたせいでスズメがたくさん集まってきてばれた」など失敗例の結末の話の方が多いらしい。

42

ある夫婦《ふうふ》の物語

失敗→なぜ？

今度こそまちがいない。車の音だ。

わたしはのり巻《ま》きを切る手を止め、窓《まど》のそばに走った。レースのカーテンごしに外をのぞくと——ほら、やっぱり。

車から降《お》りてきたヨシミさんが玄関《げんかん》に向かっていく。そして、黒いスーツ姿《すがた》の男の人たちがおとなりの家にお棺《かん》を運びこむのをわたしはじっとながめていた。

ヨシミさんとショウジさん。おとなりのご夫婦《ふうふ》とは長いおつきあいになる。

お二人が結婚《けっこん》して、この家にこしてきてから50年近くになるだろうか。わたしは

ヨシミさんより10歳《さい》年上だけど、わたしたちはすぐに仲よくなったものだ。結婚《けっこん》生

活でも子育てでも「先輩《せんぱい》」のわたしをヨシミさんは姉のようにしたってくれた。

ショウジさんが突然《とつぜん》倒《たお》れ、病院に運ばれたのは3日前のことだ。75歳《さい》の今まで元気そのものだったのに、こんなふうに急に旅立ってしまうなんて。人生はわからないものだ。ヨシミさんはショックを受けているだろう。しかも、お葬式《そうしき》を行わなければならないんだから、できるだけ支《ささ》えてあげなくちゃ。

車が去っていくのを見届《みとど》けると、わたしはのり巻《ま》きをせっせとタッパーに詰《つ》めた。

ヨシミさんはたびたび涙《なみだ》をぬぐいながら、この3日間のことを話してくれた。きのうは意識《いしき》ももどり、元気そうに見えたので本人も治ると信じていたと聞いて、思わずわたしも涙《なみだ》を流してしまった。

「今、火葬場《かそうば》が混《こ》んでるそうでね……お葬式《そうしき》ができるのは3日後って聞いたとき、よかったと思ったのよ。あの人、『家に帰りたい』って言ってたから。」

「そうだったのね。」

「葬儀屋《そうぎや》さんでお棺《かん》を預《あず》かることもできるって言われたんだけどね。でも、この家でもう少しいっしょにいられるなら、わたしもその方がいいし。葬儀屋《そうぎや》さんが、毎日お棺《かん》のドライアイスを補充《ほじゅう》しに来てくれるんだって。」

「そう、じゃあもう少し2人きりでいられるのね。」

でも、ヨシミさんを一人にしておくのはちょっと心配かも。

「あの……わたし、よかったら今晩《こんばん》泊《と》まろうか?」

ヨシミさんは、わたしの気持ちを察したように言った。

「だいじょうぶよ。タツオが夜には着くそうだから。」

「あら、タツオさん、帰ってくるの!?」

意外だった。それはそれで、また心配ではある。なにしろ一人息子のタツオさんはヨシミさん夫婦《ふうふ》と大げんかをして以来、20年近く帰っていないのだ。ヨシミさんも「本気で親子の縁《えん》を切ろうと思ってるの。わたしたちの遺産《いさん》があの子にわたるのは許《ゆる》せないもの」なんて言ってたくらいだ。

ショウジさんの死をきっかけに、仲直りできればいいんだけど。

「何か困《こま》ったことがあったら連絡《れんらく》してね」と言い残して、わたしは家にもどった。

だけど、その晩《ばん》――わたしは「やっぱり泊《と》まった方がよかったかも」と後悔《こうかい》することになる。

レーズン入りのスコーン（これはショウジさんにもほめられたことがある）をしこんでいたとき。ヨシミさんとタツオさんのどなりあう声が聞こえてきたのだ。テレビの音を消して耳をすましたが、何を言い争っているのかはわからない。もう12時近いけど場合によっては様子を見に行った方がいい？　おせっかいすぎる？　迷《まよ》っているうちに声はしずまったのだけど。


そして、翌朝《よくあさ》。わたしが焼きたてのスコーンを持って訪《たず》ねると――タツオさんが血相を変えて飛び出してきたのだ。

「母さんが死んでるんです！」

「ええっ!?」

ヨシミさんはショウジさんのお棺《かん》の横に寄《よ》りそうように倒《たお》れていた。すぐに救急《きゅうきゅう》車《しゃ》を呼《よ》び、心臓《しんぞう》マッサージをしたけれど、ヨシミさんは息を吹《ふ》き返さなかった。

こんなことってある？

わたしはタツオさんに疑《うたが》いのまなざしを向けていたのだろう。

「ちがいます。オレは……何もしてないです！」

タツオさんは動揺《どうよう》しきった表情《ひょうじょう》でうったえる。ヨシミさんは急に何かの発作《ほっさ》を起こしたのかもしれないけど――昨晩《さくばん》2人がどなりあう声を聞いたことは警察《けいさつ》に話さなくちゃ、と心に決めていた。

正直なところ、このときはまさかヨシミさんの死因《しいん》が「事故死《じこし》」だなんて想像《そうぞう》もしていなかったから。


ヨシミさんの死因《しいん》は急病でも他殺《たさつ》でもなく「事故死《じこし》」だった。

いったい何が起こったのだろうか。

解説《かいせつ》

ヨシミさんは深夜に亡《な》くなった夫のお棺《かん》のそばに行き、よく顔を見るためにお棺《かん》の上についている小窓《こまど》を開けた。お棺《かん》には大量のドライアイスが入っていた。ドライアイスは二酸化炭素《にさんかたんそ》を冷やして固体にしたもので、常温《じょうおん》では気体になる。ヨシミさんはドライアイスが気化した二酸化炭素《にさんかたんそ》を吸《す》いこんで急性二酸化炭素中毒《きゅうせいにさんかたんそちゅうどく》を起こし、死亡《しぼう》してしまったのである。

ドライアイスは保冷材《ほれいざい》として日常的《にちじょうてき》に使われるが、取り扱《あつか》いには注意が必要だ。大量に使う場合は、部屋をよく換気《かんき》すること。たくさんのドライアイスを車で輸送《ゆそう》中の運転手が、危《あや》うく意識《いしき》を失いそうになったケースも報告《ほうこく》されている。

二酸化炭素中毒《にさんかたんそちゅうどく》になったときは、強い眠気《ねむけ》、頭痛《ずつう》、心臓《しんぞう》が苦しいなどの症状《しょうじょう》が発生する。ヨシミさんの場合は小窓《こまど》から一気に二酸化炭素《にさんかたんそ》を吸《す》いこんだため、すぐに意識《いしき》を失ったようだ。こんないたましい事故《じこ》が起こらないよう、ドライアイスの知《ち》識《しき》をまわりの人にも教えてあげてほしい。

43

双子《ふたご》の姉妹

危機《きき》→なぜ？

よりによって旅先で交通事故《じこ》に巻《ま》きこまれるなんて。

オレは無傷《むきず》なのに、エイミだけが重傷《じゅうしょう》を負ってしまうなんて。

オレはなんでA型《エーがた》なんだ、どうしてエイミと同じO型《オーがた》じゃなかったんだ。

手術室《しゅじゅつしつ》に運びこまれたエイミの青い顔が頭からはなれない。

今、エイミはたくさんの輸血《ゆけつ》が必要な状態《じょうたい》なのに、この病院ではO型《オーがた》の血液《けつえき》が不足してるらしいんだ。これが地元なら、友だちや仕事先の同僚《どうりょう》に連絡《れんらく》しまくればO《オー》型《がた》の人間なんか10人だって20人だって集められる。

だけど、知りあいのいない土地じゃお手上げだ。

病院の人たちはなんとかして血液《けつえき》を手配すると言ってくれてるけど……もし足りなかったら？　もし間にあわなかったら？

待てよ。なんでこれを忘《わす》れてたんだ！

エイミの双子《ふたご》の姉のレイミさんは、先月転勤《てんきん》になって、となりの県に住んでいるんだ。これは不幸中の幸い。車でぶっ飛ばせば数時間で着く距離《きょり》だ。

双子《ふたご》とはいえエイミとレイミさんはあまり仲がよくなくて――オレも結婚式《けっこんしき》のときしか会ってないけど。非常事態《ひじょうじたい》だからかけつけてくれるに決まってる。

レイミさんはすぐに電話に出た。

オレはできるかぎり冷静に事情《じじょう》を説明したが……電話の向こうの彼女《かのじょ》の言葉は意外なものだった。

「すぐに出発します。でも、輸血《ゆけつ》はできません。」

なんだって⁉

「いくらなんでもひどすぎます！　双子《ふたご》の姉妹なのに、あなたには情《じょう》がないんですか！　薄情者《はくじょうもの》！」

オレは怒《いか》りのあまり、こう言い放つと電話を切ってしまった。

だけど、よく考えると。

レイミさんはすぐ病院に来るって言ったよな。薄情《はくじょう》なら、かけつけたりはしないはずだ。

そして、数時間後。オレは到着《とうちゃく》したレイミさんに平謝《ひらあやま》りしたのである。


レイミはなぜ「輸血《ゆけつ》はできない」と言ったのだろうか。ちなみにレイミは健康体である。

解《かい》説《せつ》

輸血《ゆけつ》は、本人と同じ血液型《けつえきがた》が望ましい。主人公は、エイミとレイミは双子《ふたご》なので血液型《けつえきがた》は同じだと思いこんでいたが、この2人は二卵性双生児《にらんせいそうせいじ》。二卵性双生児《にらんせいそうせいじ》の場合は血液型《けつえきがた》が同じでない場合がある。エイミはO型《オーがた》だが、レイミはB型《ビーがた》だったので輸血《ゆけつ》はできないのだ。ともあれ結局は病院の手配が間にあって、エイミは助かった。どうしても同じ血液型《けつえきがた》の血液《けつえき》がない場合には、輸血《ゆけつ》しても異常《いじょう》な反応《はんのう》が出ない血液型同士《けつえきがたどうし》なら輸血《ゆけつ》できる。この組み合わせは次の通り。

【A型《エーがた》を輸血《ゆけつ》できる→A型《エーがた》・AB型《エービーがた》】【B型《ビーがた》を輸血《ゆけつ》できる→B型《ビーがた》・AB型《エービーがた》】【AB型《エービーがた》を輸血《ゆけつ》できる→AB型《エービーがた》】【O型《オーがた》を輸血《ゆけつ》できる→A型《エーがた》・B型《ビーがた》・AB型《エービーがた》・O型《オーがた》】

一卵性双生児《いちらんせいそうせいじ》は、1つの受精卵《じゅせいらん》が2つに分かれて生まれる。性別《せいべつ》も血液型《けつえきがた》も同じで、顔もよく似《に》ている。二卵性双生児《にらんせいそうせいじ》とは、別々《べつべつ》の受精卵《じゅせいらん》がお母さんのおなかの中で同時に育ったもの。きょうだいがいっしょに生まれてきたようなものなので、性《せい》別《べつ》も血液型《けつえきがた》もちがう場合があり、顔も一卵性《いちらんせい》ほど似《に》ていないことが多い。

44

ためらいの結婚式《けっこんしき》

失敗→なぜ？

うわ、防虫剤《ぼうちゅうざい》くせぇ。

オレは押入《おしい》れの一番奥《おく》から引っぱり出した黒いスーツから顔をそむけた。前に着たのは2年前のじいちゃんの葬式《そうしき》のときか。早めに出して風に当てときゃよかった。まあ冠婚葬祭用《かんこんそうさいよう》のフォーマルスーツはこれしかないからしょうがない。

鏡に向かって黒いネクタイをしめると……うん、まあまあキマッてる。

あいつらに会うの久《ひさ》しぶりだから、キリッとして行かないとな。

結婚披露宴《けっこんひろうえん》の案内が届《とど》いたとき、「え、誘《さそ》ってくれるんだ⁉」って思ってつい出席するって返事したんだけど。会うのはちょっと勇気がいる。

新郎新婦《しんろうしんぷ》のケイタとカナエは、どちらも大学のサークル仲間だ。

オレは大学に入ったばっかのころ、カナエのことが好きでさ。告白《こくはく》してふられたんだけどね。ところが、そのすぐあとにカナエはケイタとくっついてさ。

そんなのサークルの中じゃよくあることだ。ケイタのことも好きだったし、2人とはふつうに友人としてつきあってた。そのうちオレもバイト先で彼女《かのじょ》ができたしね。でも、その彼女《かのじょ》に、大学の卒業式の前日に別れ話を切り出された。あのころ、オレは就職《しゅうしょく》も決まってなくて超《ちょう》むしゃくしゃしてたんだよな。卒業式のあとのサークルの飲み会で、酒を飲みすぎて荒《あ》れたらしい。「らしい」って言うのは、酔《よ》っぱらいすぎて記憶《きおく》があいまいだからだ。で、ケイタとカナエに当たり散らしたんだって。そこにいた全員がドン引きするような暴言《ぼうげん》をはいたそうだ。その一部始終は次の日にサークル長だったヒロミに聞かされてめちゃくちゃ説教された。ともかくそれ以来、サークル仲間からはいっさい連絡《れんらく》がとだえたわけ。

あれから3年。水に流して結婚式《けっこんしき》に呼《よ》んでくれたんだから、行かなくちゃな。

ケイタとカナエだけじゃなく、サークル仲間に会うのがこわいけど。

だが、いざ式場に着くと……困《こま》ってしまった。なにしろ受付をやってるのがあのヒロミなんだ。気まずい。気まずすぎる。

だれにも見つからないうちに帰っちゃおうかと思ったとき――。ヒロミがハッとした顔になった。受付をはなれ、血相を変えてこっちにかけ寄《よ》ってくる。

「あんた、何考えてんの⁉　ケイタとカナエのこと、まだ嫉妬《しっと》してるわけ⁉」

「え、なんでそんなこと言うの？」

ヒロミはうろたえるオレのうでを引っぱって人のいない階段《かいだん》の方に連れていき、ネクタイの首元をぎゅうぎゅうつかんで激《はげ》しい口調で言ったんだ。

「いやがらせするつもりで来たんならさっさと帰んなさいよ！」

主人公には何か落ち度があったようだ。ヒロミが怒《おこ》った理由を推理《すいり》してみてほしい。

解《かい》説《せつ》

主人公は、黒いスーツに黒いネクタイをしめてきていたのだ。男性《だんせい》の場合、黒いスーツを結婚式《けっこんしき》と葬式《そうしき》、両方の礼服に使い回す人は多い。だが、黒いネクタイは葬《そう》式《しき》のときのもの。結婚式《けっこんしき》ではNG《エヌジー》だ。結婚式《けっこんしき》の場合は白やシルバー、グレーなどの色を選ばなくてはいけない。新郎新婦《しんろうしんぷ》とモメた過去《かこ》のある主人公がおめでたい席に黒のネクタイで現《あらわ》れたものだから、ヒロミはてっきり「いやがらせ」だと思いこんで激怒《げきど》したのである。

主人公に悪気はなく、かんちがいだとわかるとヒロミは大爆笑《だいばくしょう》。会場近くの100円ショップで白いネクタイを入手でき、ことなきを得《え》た。じつは、白ネクタイと黒ネクタイのマナーをうっかりまちがえる人は少なくないらしい。ちなみに、「黒いタキシードスーツ＋黒い蝶《ちょう》ネクタイ」ならおめでたい席でもOK《オーケー》だ。

45

花占《うらな》い

成功→なぜ？

「ねえねえサワカ。あたしとショウゴくんの相性《あいしょう》、78％《パーセント》ってわりとよくない？」

アズミは逆《ぎゃく》ピラミッド型《がた》に数字が並《なら》んだノートを見せてうれしそうに笑っている。これ、やったことある。名前を使う相性占《あいしょううらな》いだよね。

あたしは内心シラけていた。

こんな占《うらな》いで喜《よろこ》ぶなんてくだらなーい。

あたしとアズミは去年、小学5年のとき初めて同じクラスになった。

先月の修学《しゅうがく》旅行で同じ部屋になって。

恋《こい》バナしてて同じ人を好きだってわかってから、つきまとってくる。

アズミはあたしのことをライバルっていうよりは、同じ人に恋《こい》してる「仲間」って思ってるみたい。で、今日も……あたしたちは公園のベンチに2人ならんで、遠くでサッカーしてるショウゴくんをながめてるってわけ。

それはまあいいんだけど、占《うらな》いの話に調子合わせるのはちょっと疲《つか》れる。

ぼんやりしてたらアズミに「ねえ、聞いてる？」と、つつかれた。

「次に生年月日を使う相性占《あいしょううらな》いをやってみたら90％《パーセント》だったの。どう思う？」

アズミは真剣《しんけん》な顔で言う。

「『どう思う？』」も何も、ただの占《うらな》いじゃん？」って言いそうになるのをのみこんだのは、いいことを思いついたから。

あたしはベンチのわきに咲《さ》いているコスモスを1輪摘《つ》んでアズミに渡《わた》した。

「古典的だけどさ、花占《うらな》いなんてどう？」

花びらを1枚《まい》ずつ取りながら「スキ、キライ」とくり返して……最後の1枚《まい》が「スキ」なら「両想い」ってやつ。アズミは目を輝《かがや》かせて始めたが、「キライ」で終わったのでガッカリしてる。

「じゃあさ、これでやり直したら？」

今度はデージーを差し出す。デージーは細い花びらがいーっぱいついてるから、コスモスよりだいぶ時間がかかる。

「やだぁ、また『キライ』になっちゃった！」とわめくアズミの横で、「あたしもやってみよ！」とマーガレットを1輪取る。

あたしの手元をじっと見つめていたアズミは、最後の1枚《まい》が「スキ」になった瞬《しゅん》間《かん》、なんともふきげんそうな顔になったんだ。

「もっとやる！」とくやしがるアズミに、あたしは「あんまり花をむしっちゃかわいそうだから、やめよ！」って言いながらベンチを立ったんだ。


主人公は、アズミの花占《うらな》いが「キライ」に終わること、自分は「スキ」で終わることを予期していたようだ。それはなぜだろうか。

解説《かいせつ》

主人公は、花びらの枚数《まいすう》を知っていたからだ。コスモスの花びらは8枚《まい》、デージーは34枚《まい》。1枚《まい》ずつ花びらを取りながら「スキ、キライ」と数えていくので、花びらが偶数《ぐうすう》なら「キライ」で終わるのは当たり前だ。逆《ぎゃく》に「スキ」で終わりたいなら、花びらが奇数《きすう》の花を選べばいいのだ。マーガレットは21枚《まい》である。

コスモスのように花びらの数が少ないと、何回かくり返せばタネがバレてしまうので、すぐにデージーを渡《わた》したのが主人公のかしこいところ。アズミは「占《うらな》いなんてあてにならないよね」とあっさり態度《たいど》を変え、占《うらな》いにこるのをやめたという。

日当たりや栄養状態《じょうたい》などの影響《えいきょう》で、花びらの数が少ないものもあるが、基本的《きほんてき》には花びらの数は決まっている。身近な花の花びらの数を数えてみよう。

46

恋《こい》のお守り

成功↓なぜ？

「ねえねえサワカ、あたし、いいこと思いついちゃったんだぁ！」

アズミは休み時間になると、オレのとなりの席のサワカのとこにやって来る。声がくそデカいから、いつも会話はまる聞こえだ。っていうか、オレの気を引くためにデカい声でしゃべってるのかもしんないけど。こいつがオレのことを好きなのはだいぶ前からバレバレなんで、やりにくいったらしょうがない。

オレはバタッと机《つくえ》に顔をふせた。

「来月、学校でバザーがあるでしょ？　四つ葉のクローバーを押《お》し葉にして、恋《こい》がかなうお守りにするの。めっちゃ売れると思わない？」

「いいと思うけどさ。四つ葉のクローバーはどこで調達するの？」

「それ！　クローバーがいっぱいの穴場《あなば》、見つけちゃったの。四つ葉もいっぱい見つかると思うんだ。」

「そっか。がんばってね！」

「ええ、サワカ、手伝ってくれないの？」

「ダンスの発表会が近いから、放課後はしばらくいそがしいんだよ。」

「じゃ、しょうがないね。一人でがんばるよ！」


その日から毎日、校舎裏《こうしゃうら》のしげみにアズミが現《あらわ》れるようになった。サッカー部の練習のランニングで、いつも校舎裏《こうしゃうら》を通るからいやでも目に入る。

しかし、話を聞いてると三つ葉ばかりで、四つ葉は全然見つからないらしい。

「でも、まだ探《さが》してないとこいっぱいあるから。きっと見つかると思うんだ。」

アズミはまったくへこたれてない。あの草ぼうぼうの中に座《すわ》りこんでさ……女子にとって四つ葉のクローバーってそんなにありがたいもんかね。あれって、突然変《とつぜんへん》異《い》でできるもんだろ？

ひとこと言いたい気がするけど、恋《こい》のお守りなんかの話に首つっこむのもなぁ。

ある日の放課後。オレはアズミが委員会の仕事に行っている間にそこに向かった。確《たし》かに三つ葉ばっかだ。いくら探《さが》したってムダじゃねーの？　その場でクローバーを踏《ふ》みつけていると――。

「何やってるの？　そこであたしがクローバー探《さが》してること、知ってるんでしょ!?」

アズミが青ざめた顔でオレをにらんでいた。


主人公はなぜクローバーのしげみを踏《ふ》み荒《あ》らしたのだろうか。

解《かい》説《せつ》

クローバーは「シロツメクサ」とも呼《よ》ばれる。多くは三つ葉だが、ときどき四つ葉のものがある。四つ葉のクローバーは幸福のシンボルとして有名だ。
四つ葉のクローバーができるのには、2つの原因《げんいん》があるという。1つめは、遺伝《いでん》によるもの。2つめは、葉っぱの「生長点（成長点）」が傷《きず》つけられるため。生長点は、すべての植物のくきの先っぽにある。クローバーの場合はこの生長点から3枚《まい》の葉が出るが、生長点が人や動物に踏《ふ》まれたりすると、傷《きず》ついて葉っぱが枝分《えだわ》かれすることがあるのだ。よく人が通る場所では四つ葉のクローバーが見つかりやすいことは、わりと知られている。

そこで、主人公はアズミを手助けするつもりでクローバーのしげみを踏《ふ》み荒《あ》らしたのだ。主人公がわけを説明し……なんだかんだで2人は両想いになったのである。こんな形で恋《こい》を結んだのだから、結果的には御利益《ごりやく》があったことになる⁉

47

バーガーショップの恋《こい》

失恋《しつれん》→なぜ？

「ソユン、またあのバーガーショップに行くの？」って今日もママに言われたけど。近所に別の店があれば、あたしはそのバーガーショップの常連《じょうれん》にはなってなかっただろう。

そもそもハンバーガーがおいしくない。だからフライドポテトを頼《たの》むことにしてるけど、2回に1回は冷めたフニャフニャのが出てくる。コーヒーもマシンでいれてるわりに微妙《びみょう》な味。豆の質《しつ》が悪いのかなぁ。

家で勉強してると煮詰《につ》まるからさ。この夏休みも大学のレポートを完成させるため、ちょくちょく通ってるんだけど――最近、この店に来る楽しみができたんだ。

1か月くらい前。メニューをにらみながら今日はポテトと何味のシェイクにしようか迷《まよ》ってたら、カウンター前の行列からはみ出しちゃってたんだよね。となりにいる人は、あたしの前に並《なら》んでた？　後ろだっけ？　って考えてたら。サラサラの栗色《くりいろ》の髪《かみ》にすきとおるような瞳《ひとみ》の彼《かれ》が「お先にどうぞ」って順番をゆずってくれたんだ。

それから、次のときも。列に並《なら》ぼうとしたら、ぐうぜん彼《かれ》と出くわして。またまた「お先にどうぞ」ってほほえんでくれたの。

あたしはお店に行くたびに彼《かれ》の姿《すがた》を探《さが》し、観察するようになった。わかったのは……彼《かれ》もポテトが好きなこと。それと、だれにでも「お先にどうぞ」ってゆずるわけじゃないってこと。

孫をつれたおじいちゃん、中学生くらいの男子2人組に続けて順番をゆずったこともある。いい人なのかな？　でも、あたしと同い年くらいの、かわいい女の子にはゆずらなかったんだよ。そのときは、ちょっとうれしかったりした。

もしかしたら、あたしのこと意識《いしき》してる？　そんな期待、してたけど。

彼《かれ》はカウンターの奥《おく》でフライドポテトを揚《あ》げてる女の子に恋《こい》してるのかもって思ったんだ。彼《かれ》の視《し》線《せん》の先を見たら、わかっちゃった。彼《かれ》はあの子を少しでも長く見つめるために順番をゆずってたんじゃない？　ゆずらないときは、ほかの人がポテトの担《たん》当《とう》だったのかも？

今日、彼《かれ》はあたしを追いこしてカウンターに向かい、いつも通りフライドポテトのL《エル》サイズとコーラを注文した。あたしに笑いかけてはくれなかった。完全にかんちがいだった。ポテトがアツアツだったことがささやかな救《すく》いだ。こうして、あたしの短い恋《こい》は終わったんだ。

「彼《かれ》」はポテトを揚《あ》げる店員に恋《こい》していたわけではない。「彼《かれ》」が順番をゆずった理由はほかにあったのだ。それは何だったのだろうか。

毎回ポテトのL《エル》サイズを頼《たの》むだけあって、「彼《かれ》」はフライドポテトが大好きだった。彼《かれ》がカウンターでの注文をゆずったのは、前の人に「揚《あ》げてから時間がたったポテト」を買ってもらうためだ。店の常連《じょうれん》である彼《かれ》は、いつもポテトを頼《たの》む人をほぼ知っていて先をゆずったのである。そうすれば、自分は揚《あ》げたてのポテトにありつけるというわけだ。

主人公は真相を知らずに恋《こい》をあきらめたが、紳士的《しんしてき》だと思った青年のこんなにセコい内面を知ったらもっとがっかりしたにちがいない。

48

探《たん》偵《てい》志《し》望《ぼう》

理由→なぜ？

胸《むね》のすくような青い空を赤トンボが飛び、弱い風にススキがサラサラゆれる。

こんな心地《ここち》いい秋の風景が、うす気味悪く思えるなんて。

オレたちは、木の枝《えだ》にぶっ刺《さ》さっているひからびたカエルの死体から目がはなせずにいた。

オレはミステリーを読むのが好きだ。好みは古めかしい洋館や孤島《ことう》で連続殺人事《さつじんじ》件《けん》が起こる話。最近のお気に入りは『赤いカラスが鳴く夜に』って小説だ。「串刺《くしざ》しになったカラスが見つかると殺人《さつじん》が起こる」という言い伝えがある村が舞台《ぶたい》の話。

オレの身近でもこんなハラハラするような事件《じけん》があったら――もちろん、オレが謎《なぞ》を解《と》いてやる。で、「12歳《さい》の天才探偵《たんてい》、現《あらわ》る！」ってめちゃめちゃ騒《さわ》がれる。

まずは事件《じけん》に出あわないと。それっぽい場所に行かないと。ってわけで、わざわざ電車に乗ってこのだだっ広い草原にやって来たんだけど。親友のフウタを連れてきてよかった。一人だったらマジで腰《こし》をぬかしてたかも。

オレはゴクリとつばをのみこむ。

カラスとカエルのちがいはあるけど、あの小説そっくりじゃないか。

「ねえ、あっちにもあるよ！」

フウタが指さす方に歩いていき――オレは思わず目をそむけた。

かわいそうに、今度は小さい鳥だ。

「これ、スズメじゃないか!?」

フウタの声はふるえている。いたずらにしては、ざんこくすぎる！

さらにその先で、今度はコオロギが刺《さ》さっているのを発見した。

カエル、スズメ、コオロギ。

これが連続殺人《さつじん》の予告《よこく》だとしたら何を意味してるんだ？

「なあ、気味が悪いよ。もう帰ろうぜ。」

「そうだな……。」

もう少し調べてみたい気もしたけど、取り返しがつかないことになる前に帰った方がいい。名探偵《めいたんてい》じゃなくて被害者役《ひがいしゃやく》になるのはごめんだ！

だけど。この判断《はんだん》は少しおそすぎたのかも。

オレがもう一度コオロギをよく見ようと首をのばしたとき。その木の向こうから、おじいさんが顔を出し、ニヤリと笑ったんだ。

「おっと……きみたち、それにさわっちゃダメだよ。」

オレの足はかたまって動かなくなった。


枝《えだ》に刺《さ》さったカエル、スズメ、コオロギは何を意味しているのだろうか。

解説《かいせつ》

主人公たちが見たのは「モズのはやにえ」だ。「はやにえ」とは「お供《そな》え物」という意味。モズは小動物を好む肉食性《にくしょくせい》の鳥で、体長は20センチほど。獲物《えもの》をつかまえ、木のとがった枝先《えださき》などに突《つ》き刺《さ》しておく変わった習性《しゅうせい》がある。獲物《えもの》は昆虫《こんちゅう》やトカゲ、カエルをはじめ、小さな鳥やネズミ、モグラなど。

モズは10～12月ごろにたくさんのはやにえを用意する。冬の保存食《ほぞんしょく》と考えられていたが、じつはここぞというときのための「栄養食」の意味がある。モズのオスは、繁殖期《はんしょくき》に歌声でメスにアピールする。「はやにえ」をたくさん食べるとパワーアップして、魅力的《みりょくてき》な早口の鳴き声が出せるのだという。人間の目からすると不気味だが、モズにとってはプロポーズの成功を左右する重要なもの。だから、おじいさんはいたずらしないようにと、主人公たちに注意したわけなのだ。

49

ぼくらは少年探偵団《たんていだん》

推理《すいり》→結果？

放課後、サトシに「ちょっと話がある」と声をかけられて校舎裏《こうしゃうら》についていってみると。フジタ、コンドウ、サカイ、ムラノ、ハセガワの5人が丸太の上に座《すわ》り、もったいぶった顔で待っていた。

そして、サトシはこう切りだしたんだ。

「少年探偵団《たんていだん》のメンバーにならないか？　この6人で結成したんだけど、あと1人メンバーを増《ふ》やして7人にしたいと思ってさ。5年生を調査《ちょうさ》した結果、おまえが有力候補《こうほ》に上がったんだ。」

サトシは「有力候補《こうほ》」というところに力をこめ、「うれしいだろう？」と言いたげな表情《ひょうじょう》だ。

ふーん、少年探偵団《たんていだん》か。おもしろそうだけど。

「なんでオレが選ばれたの？」

「オレたちが図書室にはりこんで調べたかぎり、おまえが一番推理《すいり》小説をよく借りてたからだ。」

「なんだ、そんな理由か。」

「なんだってことはないだろ。推理《すいり》小説をよく読んでれば、探偵《たんてい》活動の基礎的《きそてき》な知識《ちしき》が身につくからな。」

それもそうか。

「なんでメンバーを7人って決めたの？」

サトシは腕組《うでぐ》みをして笑った。

「7ってなんとなくカッコいいだろ？」

「なんだ、『BD7《ビーディーセブン》』のマネじゃなかったのか。」

ぼくが言うと、サトシは目をギョロつかせた。

『ＢＤ７《ビーディーセブン》』ってなんだよ？」

「江戸川乱歩《えどがわらんぽ》の『少年探偵団《たんていだん》』をもとにしたテレビドラマに『ＢＤ７《ビーディーセブン》』って出てくるの、知らない？　『Ｂｏｙ《ボーイ》 Ｄｅｔｅｃｔｉｖｅｓ《ディテクティブズ》 ７《セブン》（７人の少年探偵《たんてい》）』の頭文字をとってＢＤ７《ビーディーセブン》。昭和のドラマだから知らなくてもしょうがないけど。」

「はぁ？　なんでそんな古くさいドラマ知ってんだよ！」

サトシはちょっとふきげんそうだ。

「じいちゃんが好きでさ。去年、じいちゃんがブルーレイを買ってきたからいっしょに見たんだよ。」

オレはみんなにこのドラマの説明をした。団長《だんちょう》の小林くん以下、団員《だんいん》たちが「ガッツ」「ゴムカン」「オウム」「トンボ」「キカイ」「マジョ」と、あだ名で呼《よ》びあうのもいいんだよ。

みんな、興味《きょうみ》を持って聞いてくれたのがうれしい。こいつらの仲間になるのも、いいかもしれないな。

ハセガワがニコニコして口を開いた。

「ぼくたちが7人にこだわったのは、カッコいいからっていう以外にも一応《いちおう》理由があるんだ。」

そこで、サトシがポンと手を打つ。

「そうそう、話がそれたけど……。おまえに、かんたんな入団《にゅうだん》テストを受けてもらいたいんだ。じつは、オレたちもコードネームがあってさ。全員、漢字1文字の。」

サトシは「星」。

フジタは「朝」。

コンドウは「煙《けむり》」。

サカイは「泉《いずみ》」。

ムラノは「松」。

ハセガワは「銀」……だって。

サトシは、みんなが棒《ぼう》で地面に書いた字を指さした。

「このコードネームは、どんなルールでできているか？　これがテスト問題だ。」

ぼくは、6つの漢字をにらんだ。

「そうだな。新メンバーが入ったら……コードネームは『塩』とか？」

『塩』じゃカッコ悪いだろ。もっとましな漢字、あるんじゃね？」

フジタとコンドウのおしゃべりから推理《すいり》すると――コードネームは、それぞれの本名との関連性《かんれんせい》はないようだ。つまり、6つの漢字と「塩」にどんな共通点があるのかを考えればいい。

それから重要なのは「7人」でなければいけない理由。

「7」をヒントに考えると、謎《なぞ》はかんたんに解《と》けた。

ぼくはみごとに正解《せいかい》し、7人目のメンバーになったのである。


コードネームはどんなルールでできているのか推理《すいり》してほしい。コードネームに使われた漢字は「7」にまつわる何かと関係している。

解説《かいせつ》

このコードネームは「曜日」と関係がある。それぞれの漢字には、曜日の漢字がかくれているのだ。6つの漢字をよく見てみよう。まず、「星」には「日」がかくれている。「朝」＝「月」、「煙《けむり》」＝「火」、「泉《いずみ》」＝「水」、「松」＝「木」、「銀」＝「金」。

「日・月・火・水・木・金」がそろい、残っているのは「土」。それで「土へん」の「塩」という案が出たわけだ。結局、主人公のコードネームは「城」に決定したという。

50

だれもいない森で

哲学《てつがく》→結論《けつろん》？

「きのうね、図書館でとなりに座《すわ》った大学生っぽいお兄さんがノートに、大きく『今週の宿題』って書いてたからチラッと見たらさ。」

ニノは、きれいにふき終わったばかりの黒板の前でチョークを手に取った。

「え、それが大学生の宿題？　もしかして、なぞなぞ学部なぞなぞ学科の人？」

カンナがこう言いながらふき出したので、モロハシ先生は黒板を見やった。

黒板にはニノのちょっと角ばった字でこう書かれている。

「だれもいない森の中で木が倒《たお》れたら、音はするのだろうか？」

（これはちょっと解説《かいせつ》しないとな。見ず知らずの大学生の名誉《めいよ》のためにも。）

そう考えたモロハシ先生は、会話に加わることにした。

「それはきっと、哲学《てつがく》の授業《じゅぎょう》の宿題だね。」

ニノとカンナは目を丸くした。

「哲学《てつがく》？　えーと、あれだ。哲学《てつがく》ってさ……。」

「『人生とはなんぞや』みたいなことを考える学問でしょ？」

「うん、だいたいあってる。もうちょっとくわしく言うと、世界や人生の真理とは何かを考えて、ものごとのとらえ方や考え方を追求する学問って感じかな。」

「よくわかんないなぁ。『だれもいない森の中で木が倒《たお》れたら、音はするのだろうか？』がなんで哲学《てつがく》なわけ？」

「その問題に取り組むことそのものが、考え方を深めること、視野《しや》を広げることになるからだよ。２人は、この問題の答えはなんだと思う？」

ニノが先に口を開いた。

「そんなのかんたんだよ。音って、空気が振動《しんどう》して伝わるんでしょ？　木が倒《たお》れたら空気が振動《しんどう》するから、森にだれもいなくても音はする。」

「あたしもそう思う！」

カンナも小さく手を上げる。

モロハシ先生はニヤニヤした。

ここからが、いよいよ本題なのである。

「確《たし》かに、木が倒《たお》れたときには空気の振《しん》動《どう》が起こる。だけど、それを音として感知しているのは、人間の脳《のう》だ。で、ここで一つ問題。じゃあ、地球上で発生している空気の振《しん》動《どう》のすべてを、われわれは音として感知していると思う？」

2人は顔を見合わせた。

ニノが、ふと何か思いついたようだ。

「あたしのおじいちゃん、ほとんど耳が聞こえなくてね。おじいちゃんだったら、森の中にいても木が倒《たお》れる音は聞こえないことになるね。」

モロハシ先生は、口をはさまずに一《ひと》呼《こ》吸《きゅう》置くことにした。

ニノが「音がする」と「聞こえる」のちがいに気づいたことで、話が新たな方向に展《てん》開《かい》しそうだと思ったからだ。

すると、カンナが言った。

「そういえば犬にしか聞こえない笛ってあるよね。その笛を吹《ふ》いても、人間には聞こえないっていう。」

「それ、あたしもテレビで見た。警察犬《けいさつけん》の訓練に使うやつ。不思議だよねぇ。」

モロハシ先生は深くうなずいた。

「それは犬笛だね。犬には、人間には聞こえない高い周波数の音が聞こえているんだ。そもそも人間が音としてとらえている周波数はごくかぎられているからね。たとえばイルカやコウモリは、超音波《ちょうおんぱ》を出して会話してるって聞いたことないかな？ これも空気の振動《しんどう》だけど、人間には感知できないからね。」

「混乱《こんらん》してきた。でも、おもしろいね。」

ニナは頭をかかえながら笑う。

「うん、深いよね。もうさ、実際《じっさい》に森に木を倒《たお》しに行く？」

「そしたら、『だれもいない森』じゃなくなっちゃうじゃない。」

「あ、ホントだ！」

2人は大爆笑《だいばくしょう》している。

こうして——モロハシ先生、ニノ、カンナはひとしきり、いろいろなことを話しあったのである。

だれもいない森で木が倒《たお》れたら、音はするのだろうか。この問いについて、自分なりの答えを出してみよう。

解《かい》説《せつ》

ポピュラーな答えとされているのは以下の通り。空気の振動《しんどう》を音としてとらえることができる人がいて初めて「音がした」といえるなら、音として感知する《人》がいなければ「音はしない」。よって「だれもいない森では木が倒《たお》れても、音はしない」。「森で木が倒《たお》れる」場合、「音がする」と「音はしない」の2つの可能性《かのうせい》が同時に存在《そんざい》している。そこに、その周波数の音を感知できるだれかがいるなら「音がする」と断定《だんてい》できる。いない場合はだれも断定《だんてい》できないわけだ。

これは哲学《てつがく》の有名な問題で、世界中の多くの人たちが議論《ぎろん》を重ねてきた。

こうした問いを深く考えると、ふだんわたしたちは世界というものを自分（人間）が感知できる範囲《はんい》だけでとらえているのに気づかされる。常識《じょうしき》を疑《うたが》い（この問いでいえば「音」の存在《そんざい》を疑《うたが》い）、さまざまな視点《してん》からものごとを考えてみよう。世界はきっと、わたしたちに見えないもの、聞こえない音、感じることのできない感覚に満ちている。多くの可能性《かのうせい》を想像《そうぞう》し、柔軟《じゅうなん》に考えるほど謎《なぞ》の真相に近づけるのだ。

参考文献

『面白くて眠れなくなる植物学』稲垣栄洋（ＰＨＰ研究所）
『面白くて眠れなくなる化学』左巻健男（ＰＨＰ研究所）
『面白くて眠れなくなる数学』櫻井進（ＰＨＰ研究所）
『面白くて眠れなくなる地学』左巻健男（ＰＨＰ研究所）
『科学常識の盲点』橋本尚（講談社）
『科学・１７８の大疑問』Ｑｕａｒｋ＆高橋素子／編（講談社）
『怖くて眠れなくなる植物学』稲垣栄洋（ＰＨＰ研究所）
『知れば知るほど好きになる科学のひみつ』本田隆行／監修（高橋書店）
『世界のなぞかけ昔話２　あたまをひねろう！』ジョージ・シャノン（晶文社）
『戦国時代の計略大全』鈴木眞哉（ＰＨＰ研究所）
『１００の思考実験』ジュリアン・バジーニ（紀伊國屋書店）
『まるさんかく論理学　数学的センスをみがく』野崎昭弘（中央公論新社）
『美智子さまに学ぶエレガンス』渡邉みどり（学研プラス）
『夢の仕事場　動画と図解でよくわかる宇宙飛行士』鈴木喜生（朝日新聞出版）

粟生こずえ（あおう・こずえ）

東京都生まれ。小説家、編集者、ライター。マンガを紹介する書籍の編集多数、児童書ではショートショートから少女小説、伝記まで幅広く手がける。おもな作品に、「3分間サバイバル」シリーズ（あかね書房）、『トリッククラブ キミは18の錯覚にだまされる!』（集英社みらい文庫）、『かくされた意味に気がつけるか? 3分間ミステリー 真実はそこにある』（ポプラ社）、『ストロベリーデイズ 初恋〜トキメキの瞬間〜』『ストロベリーデイズ 友情〜くもりのち晴れ〜』（主婦の友社）など。『必ず書ける あなうめ読書感想文』（学研プラス）はロングセラーを記録中。

装画　ろるあ
校正　有限会社シーモア
装丁　小口翔平＋奈良岡菜摘＋畑中茜（tobufune）

3分間サバイバル
突破せよ!　難問の迷宮

2023年3月25日　初版発行

作　粟生こずえ
発行者　岡本光晴
発行所　株式会社あかね書房
〒101-0065 東京都千代田区西神田3-2-1
電話　営業（03）3263-0641
　　　編集（03）3263-0644
印刷・製本　中央精版印刷株式会社

NDC913　255ページ　19cm×13cm

ISBN978-4-251-09686-9
乱丁・落丁本はお取りかえします。定価はカバーに表示してあります。
https://www.akaneshobo.co.jp